D1537060

PLUSPUNKT DEUTSCH

Leben in Deutschland

KURSBUCH TEILBAND 1

A1.1

Jin | Schote

Dieses Buch gibt es auch auf
www.scook.de/eb

Es kann dort nach Bestätigung der
Allgemeinen Geschäftsbedingungen
genutzt werden.

Buchcode: **z7jv9-g6bcw**

Symbole

🔊 1.14   Hörtext auf CD

Ü14-15   Verweis auf
die passende Übung
im Arbeitsbuch

✳ Portfolio

VIDEO Video-Clip

Clip 04
Seite 94

Pluspunkt Deutsch A1.1
Leben in Deutschland

Kursbuch, Teilband 1

Im Auftrag des Verlags erarbeitet von Friederike Jin und Joachim Schote
Video-Drehbuch und Übungen zum Video von Dagmar Giersberg

Redaktion: Friederike Jin und Laura Nielsen
Gertrud Deutz (Redaktionsleitung)
Redaktionelle Mitarbeit: Dieter Maenner
Bildredaktion: Katharina Hoppe-Brill, Claudia Groß, Laura Nielsen
Unter besonderer Mitwirkung von: Georg Krüger (Berlin)
Beratende Mitwirkung: Lada Bormotov (Frankfurt am Main), Verena Paar-Grünbichler (Graz)
Illustrationen: Christoph Grundmann
Umschlaggestaltung, Layout und technische Umsetzung: finedesign Büro für Gestaltung, Berlin
Basierend auf Pluspunkt Deutsch von: Friederike Jin und Joachim Schote

www.cornelsen.de

Die Webseiten Dritter, deren Internetadressen in diesem Lehrwerk angegeben sind,
wurden vor Drucklegung sorgfältig geprüft. Der Verlag übernimmt keine Gewähr für
die Aktualität und den Inhalt dieser Seiten oder solcher, die mit ihnen verlinkt sind.

Soweit in diesem Buch Personen fotografisch abgebildet sind und ihnen von der Redaktion
Namen, Berufe, Dialoge und Ähnliches zugeordnet oder diese Personen in bestimmten Situationen
dargestellt werden, sind diese Zuordnungen und Darstellungen fiktiv und dienen ausschließlich
der Veranschaulichung und dem besseren Verständnis des Buchinhalts.

1. Auflage, 3. Druck 2016

Alle Drucke dieser Auflage sind inhaltlich unverändert
und können im Unterricht nebeneinander verwendet werden.

© 2015 Cornelsen Schulverlage GmbH, Berlin

Das Werk und seine Teile sind urheberrechtlich geschützt.
Jede Nutzung in anderen als den gesetzlich zugelassenen Fällen bedarf
der vorherigen schriftlichen Einwilligung des Verlages.
Hinweis zu den §§ 46, 52 a UrhG: Weder das Werk noch seine Teile dürfen ohne
eine solche Einwilligung eingescannt und in ein Netzwerk eingestellt oder sonst
öffentlich zugänglich gemacht werden.
Dies gilt auch für Intranets von Schulen und sonstigen Bildungseinrichtungen.

Druck: Firmengruppe APPL, aprinta Druck Wemding

ISBN: 978-3-06-120563-8

PEFC zertifiziert
Dieses Produkt stammt aus nachhaltig
bewirtschafteten Wäldern und kontrollierten
Quellen.

PEFC
PEFC/04-32-0928
www.pefc.de

Vorwort

Liebe Deutschlernende, liebe Deutschlehrende,

PLUSPUNKT DEUTSCH – *Leben in Deutschland* ist ein Grundstufenlehrwerk für Erwachsene ohne Deutsch-Vorkenntnisse. Es ist besonders geeignet für Lernende, die sich im deutschen Alltag zurechtfinden wollen.

PLUSPUNKT DEUTSCH – *Leben in Deutschland* setzt die Kannbeschreibungen des Gemeinsamen europäischen Referenzrahmens konsequent um und orientiert sich eng an den Vorgaben des Rahmencurriculums für Integrationskurse. Das Lehrwerk führt zum *Deutsch-Test für Zuwanderer*.

Das **Kursbuch** enthält sieben Einheiten sowie zwei fakultative Stationen. Im Vordergrund stehen Themen des alltäglichen Lebens und ihre sprachliche Bewältigung. Jede Einheit enthält eine Doppelseite *Sprechen aktiv* mit Sprechübungen zur Automatisierung. Die abschließende Seite *Gewusst wie* fasst die wichtigsten Redemittel und grammatischen Strukturen übersichtlich zusammen. Die fakultativen zweiseitigen *Stationen* bieten eine spielerische Wiederholung des Gelernten.

Im Anhang am Ende des Kursbuchs finden Sie
• Phonetikübungen, die den einzelnen Einheiten zugeordnet sind,
• Videoseiten für die vertiefende Arbeit mit den neun Videoclips,
• die Hörtexte, die alphabetische Wortliste, sowie eine Liste der unregelmäßigen Verben.

Die im Kursbuch eingelegte **Video-DVD** enthält als fakultatives Zusatzmaterial neun Video-Clips mit Spielszenen zu den Themen der sieben Einheiten.

Die separate **Audio-CD** enthält alle Hörtexte und Phonetikübungen aus dem Kursbuch.

Das **Arbeitsbuch** mit einer eingelegten **Lerner-Audio-CD** unterstützt die Arbeit mit dem Kursbuch. Es enthält ein umfangreiches Übungsangebot. Ein besonderes Plus sind die vier Seiten zur Wortschatzarbeit mit einem Bildlexikon, Übungen und Lerntipps. Im Anhang des Arbeitsbuches finden Sie eine systematische Zusammenfassung der Grammatik.

Die **Handreichungen für den Unterricht** enthalten Tipps für den Unterricht, Vorschläge für Differenzierungsmaßnahmen sowie Kopiervorlagen, Diktate und Tests.

Der **digitale Unterrichtsmanager (UMA)** ermöglicht die Vorbereitung des Unterrichts am PC/Laptop sowie den Einsatz des Kursbuchs im Unterricht mit dem Whiteboard oder Beamer.

Unter www.cornelsen.de/pluspunkt-deutschland finden Sie weitere Zusatzmaterialien.

Viel Spaß und Erfolg mit **PLUSPUNKT DEUTSCH** – *Leben in Deutschland* wünschen Ihnen

Autoren und Verlag

Inhalt

* Rahmencurriculum für Integrationskurse / Gemeinsamer Europäischer Referenzrahmen

Inhalt

Themen und Texte	Rahmencurriculum/Referenzrahmen*	Seite
. Praxisschilder . Körperteile . Texte: Entschuldigungsschreiben, Merkblatt (Notruf)	. Kann Adressen und Öffnungszeiten von Ärzten erfragen. . Kann Auskünfte zur Person bei der Anmeldung beim Arzt geben. . Kann mitteilen, wie es ihm/ihr geht, und beschreiben, was ihm/ihr wehtut. . Kann im Gespräch mit Ärzten relevante Informationen verstehen. . Kann sich mit einfachen Worten krankmelden. . Kann bei Krankheit eine kurze schriftliche Entschuldigung schreiben. . Kann telefonisch einen Notruf tätigen.	
. Verkehrsmittel . Orte/Gebäude in der Stadt . Verkehrschilder . Texte: U-Bahn-Plan, Flyer	. Kann Fahrplänen für ihn/sie relevante Informationen entnehmen. . Kann nach dem Weg fragen und das Wesentliche einer Wegbeschreibung verstehen. . Kann einen Weg beschreiben. . Kann Hinweisschildern die wichtigsten Informationen entnehmen.	
. früheres Leben . Alltagsaktivitäten . Reisen . Jahreszahlen . Texte: Postkarte, Magazintext	. Kann über sich und seine/ihre Situation im Herkunftsland sprechen. . Kann eine einfache Postkarte mit Feriengrüßen schreiben. . Kann Feriengrüße auf einer Postkarte verstehen.	
. Ämter und Behörden . ein Formular ausfüllen . persönliche Angaben . Texte: Formular, Internetseite	. Kann in einem Formular persönliche Daten eintragen. . Kann nachfragen, wenn er/sie etwas nicht verstanden hat. . Kann jemanden bitten, ihm/ihr beim Ausfüllen eines Formulars zu helfen. . Kann am Informationsschalter gezielt Auskünfte erfragen. . Kann sich über Beratungseinrichtungen informieren, z.B. über Öffnungszeiten, Adresse.	
. Kleidungsstücke . Geschäfte und Einkaufsmöglichkeiten . Texte: Internetseite, Infotafel	. Kann sagen, wie er/sie alltägliche Dinge findet. . Kann Informationen zu Produkten erfragen (Preis, Größe, Abteilung). . Kann Zahlenangaben machen (Preis, Größe). . Kann Produktinformationen das Wesentliche entnehmen. . Kann im Internet Bestellungen aufgeben und Bestellformulare ausfüllen.	
. Landschaften . Wetter . Monate . Urlaub . Texte: Reiseblog, Urlaubsprospekt	. Kann am Schalter Informationen (Abfahrtszeiten, Preise) erfragen. . Kann einen Platz reservieren. . Kann relevante Abkürzungen in Fahrplänen verstehen. . Kann Klima und Wetter in Deutschland mit Klima und Wetter in seinem/ihrem Heimatland vergleichen.	
. Haus und Nachbarschaft . Smalltalk . Kinderbetreuung . Texte: Einladung, formeller Brief	. Kann Nachbarn um Hilfe bitten. . Kann die wesentlichen Informationen einer Mitteilung eines Hausbewohners verstehen (z.B. Einladung zum Hoffest). . Kann einen formellen Brief schreiben. . Kann Bekannten das Du anbieten und kann reagieren, wenn ihm/ihr Bekannte das Du anbieten. . Kann sich nach Betreuungsmöglichkeiten erkundigen.	

* Rahmencurriculum für Integrationskurse / Gemeinsamer Europäischer Referenzrahmen

Sprache im Kurs

Sprechen Sie.

Hören Sie.

Lesen Sie.

Schreiben Sie.

Ergänzen Sie.

Kreuzen Sie an.

Sprechen Sie nach.

Lesen Sie den Dialog zu zweit.

Spielen Sie den Dialog.

Willkommen!

> Guten Tag, ich heiße Eva Meier. Und wie heißen Sie?

> Guten Tag, ich heiße Tony Balcazar.

> Guten Tag, ich heiße Anna Nowak.

Sie lernen

- sich begrüßen und sich verabschieden
- sich vorstellen und nach Namen und Herkunft fragen
- buchstabieren
- formelle und informelle Anrede
- Zahlen bis 20
- nach dem Beruf fragen

1.02 **1** Wie heißen Sie? Hören und lesen Sie. Stellen Sie sich vor.

1.03 **2** Woher kommen Sie? Hören und lesen Sie. Fragen Sie im Kurs.

> Woher kommen Sie?

> Ich komme aus Spanien.

1.04 **3a** Hören und lesen Sie.
Ü1-3

- Guten Tag.
- Guten Tag.
- Ich heiße Belin Akin. Wie heißen Sie?
- Ich heiße Ana Sereno.
- Woher kommen Sie?
- Ich komme aus Portugal. Und Sie?
- Ich komme aus der Türkei.

1.05 **3b** Hören Sie und sprechen Sie nach.

3c Lesen Sie den Dialog zu zweit. Variieren Sie die Wörter in Grün.

🔊 **1a** Sehen Sie das Foto an und hören Sie den Dialog.
1.06 Ü4-5

1b Hören Sie noch einmal und lesen Sie mit.

- Guten Morgen. Ich bin neu hier im Haus. Ich heiße Paolo Costa.
- Entschuldigung, wie heißen Sie?
- Paolo Costa. Ich komme aus Argentinien.
- Guten Morgen, Herr Costa. Mein Name ist Balbay. Kerem Balbay. Ich wohne schon lange hier.
- Und das ist Manu.
- Hallo, Manu.

1c Lesen Sie den Dialog zu zweit. Variieren Sie die Wörter in Grün.

- Guten Tag, ich bin neu hier in Frankfurt. Ich heiße Paolo Costa.
- Entschuldigung, wie heißen Sie?
- Mein Name ist Costa. Paolo Costa.

2a Wer ist das? Ergänzen Sie.
Ü6-7

Wer ist das?   Wer ist das?   Wer ist das?

Das ist Manu Costa.

2b Spielen Sie im Kurs.

Ich bin Alla Tagirowa.

Das ist Alla Tagirowa ...

... und ich bin Jamal Rossi.

Das ist Jamal Rossi, das ist Alla Tagirowa und ich bin ...

B Buchstaben

1.07

1 Hören Sie das Alphabet und sprechen Sie die Buchstaben nach.

A Be C e D e E e F G e H a I

J ot K a e L e M e N O P e Q u e R

e S T e U V au W e i X Y psilon Z ett

Ä A Umlaut   Ö O Umlaut

Ü U Umlaut   ß Eszett

1.08 Ü8-9

2 Hören Sie und notieren Sie die Buchstaben.

1 .... 2 .... 3 .... 4 .... 5 .... 6 ....

7 .... 8 .... 9 .... 10 .... 11 .... 12 ....

1.09 Ü10

3 Hören Sie und notieren Sie die Namen.

● Wie heißen Sie?
● Joachim Schote.
● Wie bitte? Wie schreibt man das?
● Moment, ich buchstabiere:

1 *J O A C H I M   S C H O T E*   3 ....

2 ....   4 ....

4 Schreiben Sie eine Kursliste. Fragen und antworten Sie im Kurs.

Wie heißen Sie?

Ich heiße ...

Familienname	
Vorname	
Land	
Stadt	

Woher kommen Sie?

Wie schreibt man das?

Ich komme aus ...

1 a Begrüßen oder verabschieden? Hören und lesen Sie die Dialoge und ordnen Sie die Zeichnungen zu.

1.10 Ü11-13

1 ☐
- Guten Tag. Wie heißen Sie?
- Ich heiße Lisa Ott. Und Sie?
- Ich bin Max Klein.

2 ☐
- Auf Wiedersehen, Frau Ott.
- Auf Wiedersehen, Herr Klein. Bis bald.

3 ☐
- Guten Tag, Frau Ott.
- Guten Tag, Herr Klein. Wie geht es Ihnen?
- Danke, gut, und Ihnen?
- Auch gut, danke.

4 ☐
- Hallo, wie heißt du?
- Ich bin Mario. Und du?
- Ich bin Laura.

5 ☐
- Hallo, Mario.
- Hallo, Laura. Wie geht es dir?
- Gut, und dir?
- Na ja, es geht so.

6 ☐
- Tschüss, Laura.
- Tschüss, Mario.

1 b Formell und informell. In welche Situation passen die Dialoge aus 1a? Ordnen Sie zu.

formell

informell

DIALOG ☐ ☐ ☐

DIALOG ☐ ☐ ☐

formell	informell
Sie	du
Frau + Familienname	Vorname
Herr + Familienname	

1 c Lesen Sie die Dialoge in 1a zu zweit. Variieren Sie die Wörter in Grün.

2 Hören Sie und kreuzen Sie an: Welche Antwort passt?

1.11 Ü14-15

1 ☐ Hallo, Tim. Wie geht es dir?
☐ Guten Tag, Herr Meier.

3 ☐ Tschüss, Anna. Bis morgen.
☐ Auf Wiedersehen, Frau Schneider.

2 ☐ Ich heiße Lina Kraus. Und Sie?
☐ Ich heiße Lina. Und du?

4 ☐ Danke, gut, und Ihnen?
☐ Danke, gut, und dir?

3 Fragen und antworten Sie im Kurs.

Guten Tag, Frau Usta, wie geht es Ihnen?

Hallo, Fuat, wie geht es dir?

Danke, gut, und Ihnen?

Danke, gut, und dir?

◄)) 1.12 Ü16 **4a** Hören und lesen Sie die Dialoge.

- Woher kommen Sie?
- Wir kommen aus Frankreich.
  Und Sie, woher kommen Sie?
- Ich komme aus Thailand

- Woher kommt ihr?
- Wir kommen aus Kanada.
  Und du? Woher kommst du?
- Ich komme aus Italien.
- Was machst du hier?
- Ich lerne Deutsch.

4b Lesen Sie die Dialoge noch einmal und markieren Sie die Endungen von *kommen*.

5a Ü17-19 Ergänzen Sie die Endungen.

1 • Woher komm......... Sie?
  • Ich komm......... aus Spanien.
2 • Wie heiß......... Sie?
  • Ich heiß......... Schmidt.
3 • Wo wohn......... Sie?
  • Wir wohn......... in Berlin.
4 • Was mach......... Sie hier in Berlin?
  • Ich lern......... Deutsch.
5 • Woher komm......... ihr? • Wir komm......... aus Italien. Und du, woher komm......... du?
  • Ich komm......... aus Togo.
6 • Wie heiß......... ihr? • Ich heiß......... Silvio.
  • Und ich heiß......... Anna. Und du? Wie heiß......... du?
  • Ich heiß......... Elisabeth.

	kommen	heißen	sein
ich	komme	heiße	**bin**
du	komm**st**	heiß**t**	**bist**
wir	komm**en**	heiß**en**	**sind**
ihr	komm**t**	heiß**t**	**seid**
Sie	komm**en**	heiß**en**	**sind**

5b Ergänzen Sie das Verb *sein*.

1 • Wer .... du? • Ich .... Maria.

2 • Wer .... ihr? • Wir .... Peter und Monika.

6 Ü20 Schreiben Sie Fragen und machen Sie ein Partnerinterview.

Wie heißen Sie?

Ich bin ...

Wie heißen Sie?
Woher ... ?
Wo ... ?
Was ... ?

D Zahlen bis 20

1 Zahlen bis 20. Hören Sie und sprechen Sie die Zahlen nach.
1.13

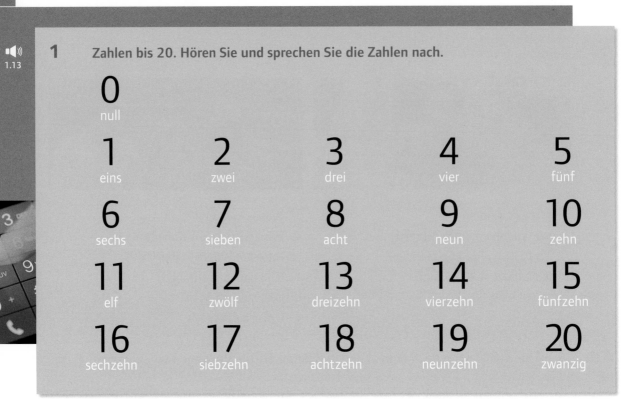

0 null				
1 eins	2 zwei	3 drei	4 vier	5 fünf
6 sechs	7 sieben	8 acht	9 neun	10 zehn
11 elf	12 zwölf	13 dreizehn	14 vierzehn	15 fünfzehn
16 sechzehn	17 siebzehn	18 achtzehn	19 neunzehn	20 zwanzig

2 Wie heißen die Hausnummern? Schreiben Sie die Zahlen.
Ü21-22

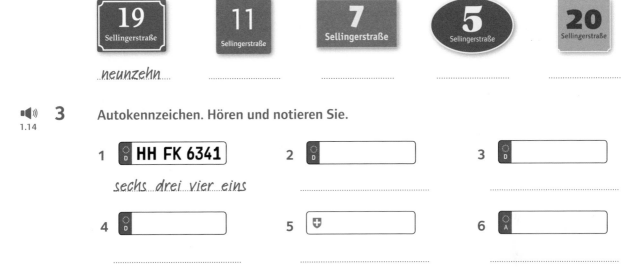

19 Sellingerstraße   11 Sellingerstraße   7 Sellingerstraße   5 Sellingerstraße   20 Sellingerstraße

neunzehn ....

3 Autokennzeichen. Hören und notieren Sie.
1.14

1 **HH FK 6341**
sechs drei vier eins

2 D ....

3 D ....

4 D ....

5 ....

6 A ....

4a Wie ist Ihre Handynummer?
1.15 Hören und lesen Sie den Dialog.

- Wie ist Ihre Handynummer?
- Moment, 0176458910.
- 0176458920?
- Nein, nicht 20! 10!
- Ach so, 0176458910.
- Ja, genau.
- Danke. Meine Nummer ist 0169739228.

4b Variieren Sie den Dialog und notieren Sie die Nummern.

🔊 1.16 **1** Ü23   Berufe. Hören Sie, suchen Sie und sprechen Sie nach.

Ingenieur

Ingenieurin

Verkäuferin

Ärztin

Lehrer

Elektriker

Altenpfleger

Friseurin

Grafikerin

Buchhalter

🔊 1.17 **2a** Ü24-25   Hören und lesen Sie.

- ● Was sind Sie von Beruf?
- ● Ich bin Lehrer. Und Sie?
- ● Ich bin Ärztin.

Berufe	
Lehrer	Lehrer**in**
Elektriker	Elektriker**in**
Arzt	**Ärztin**

2b Sprechen Sie zu zweit.
Variieren Sie die Wörter in Grün.

2c Fragen und antworten Sie im Kurs. Sammeln Sie gemeinsam Berufe.

Vorname	Familienname	Beruf
Julia	Salvador	Programmiererin
Maria	Gomes	Hausfrau
Kofi	Ayew	Student
Arshad	Ilyas	...

Wörter sprechen

1 a Berufe sprechen. Lesen Sie die Berufe laut.

> Ingenieur • Arzt • Verkäuferin • Studentin • Hausfrau • Lehrerin • Altenpfleger • Programmiererin

1 b Was sind die Personen von Beruf? Arbeiten Sie zu zweit. Fragen und antworten Sie. Die Informationen für Partner/in B finden Sie auf Seite 83.

Partner/in A

> Was ist Frau Neuer von Beruf?

> Frau Neuer ist …

Herr Schmidt   Frau Neuer   Herr Santos   Frau Mbeki
Ingenieur ....   *Arzt* ....

Frau Arslan   Herr Wang   Frau Basdeki   Herr Aydin
Verkäuferin ....   *Studentin* ....

> Was sind Sie von Beruf?

Minidialoge sprechen

2 a 🔊 1.18   Fragen. Hören Sie und sprechen Sie nach.

Wie?	–	Wie heißen Sie?
Woher?	–	Woher kommen Sie?
Wo?	–	Wo wohnen Sie?

2 b Machen Sie Fantasiedialoge. Lesen Sie und variieren Sie die Wörter in Grün.

- Wie heißen Sie?
- Woher kommen Sie?
- Wo wohnen Sie?

- Ich heiße Lady Gaga.
- Ich komme aus den USA.
- Ich wohne in Los Angeles.

Lady Gaga	Lionel Messi	Angela Merkel	Lang Lang	Name:
aus den USA	aus Argentinien	aus Deutschland	aus China	Land:
in Los Angeles	in Barcelona	in Berlin	in New York	Stadt:

Grammatik sprechen

3 a Ich auch – Ich nicht! Hören Sie und sprechen Sie die Antwort nach.
1.19

Wir lernen Deutsch.

Wir wohnen in Deutschland.

Wir kommen aus Marokko.

Ich heiße Younes.

Meine Handynummer ist 0176233223.

Ich bin Ingenieur von Beruf.

Ich lerne auch Deutsch.

Ich wohne auch in Deutschland.

Ich komme nicht aus Marokko, ich komme aus Ghana.

Ich heiße nicht Younes. Ich heiße Daniel.

Meine Handynummer ist 0177566676.

Ich bin auch Ingenieur von Beruf.

3 b Sprechen Sie zu zweit und variieren Sie den Dialog.

> Ich lerne Deutsch.

> Ich lerne auch Deutsch.

Flüssig sprechen

4 Hören Sie zu und sprechen Sie nach.
1.20

VIDEO

Clip 01
Seite 92

Dialogtraining

5 a Hören und lesen Sie den Dialog.
1.21

- Hallo, guten Tag. Wie geht es Ihnen?
- Danke, gut! Und Ihnen?
- Auch gut, danke.
- Sind Sie neu hier in Berlin?
- Ja. Wir kommen aus Mannheim.
- Ach so.

5 b Wählen Sie eine Emotion. Sprechen Sie den Dialog zu zweit.

Daniel   Julia   Elena
↓   ↓   ↓

5 c Schreiben und spielen Sie einen Dialog zu dem Foto.

> Daniel: Hallo, ich heiße ...
>
> Elena:

Kommunikation

sich begrüßen (formell)

- Guten Morgen. / Guten Tag.
- Wie geht es Ihnen?
- Danke, gut. Und Ihnen?

sich begrüßen (informell)

- Hallo. / Guten Tag. / Guten Morgen.
- Wie geht es dir?
- Danke, gut. Und dir?

sich vorstellen (formell)

- Wie heißen Sie?
- Entschuldigung, wie heißen Sie?
- Ich heiße …
- Woher kommen Sie?
- Ich komme aus …
- Wo wohnen Sie?
- Ich wohne in …
- Was sind Sie von Beruf?
- Ich bin …
- Wie ist Ihre Handynummer?
- Meine Nummer ist 0176235628.

sich vorstellen (informell)

- Wie heißt du?
- Entschuldigung, wie heißt du?
- Ich heiße …
- Woher kommst du?
- Ich komme aus …
- Wo wohnst du?
- Ich wohne in …
- Was bist du von Beruf?
- Ich bin …
- Wie ist deine Handynummer?
- Meine Nummer ist 0176235628.

sich verabschieden (formell)

- Auf Wiedersehen!
- Auf Wiedersehen!

sich verabschieden (informell)

- Tschüss!
- Tschüss!

Grammatik

Verben im Präsens

	fragen	heißen
ich	frage	heiße
du	fragst	heißt
wir	fragen	heißen
ihr	fragt	heißt
sie/Sie	fragen	heißen

	sein
ich	bin
du	bist
wir	sind
ihr	seid
sie/Sie	sind

Berufe

Ingenieur	Ingenieurin
Verkäufer	Verkäuferin
Altenpfleger	Altenpflegerin
Programmierer	Programmiererin
Arzt	Ärztin

Sie lernen

- Personen vorstellen
- nach Wörtern fragen
- persönliche Angaben machen
- bestimmte und unbestimmte Artikel
- Plural von Nomen
- Verben im Präsens
- W-Fragen
- Zahlen ab 20

1a Welches Foto passt zu welchem Kontinent?
Ü1

Afrika: .... Europa: ....

Asien: .... Nordamerika: ....

Australien: .... Südamerika: ....

1b Was kennen Sie? Sprechen Sie zu zweit.

> *Das ist Athen. Ich kenne Athen.*

> *Ich kenne Athen nicht.*

2a Wo liegt …? Fragen und antworten Sie.
Ü2

Deutschland? • Ägypten? • China? • Indien? • Brasilien? • Spanien? • Griechenland? • die Türkei? • Russland? • Kanada? • Peru?

> *Wo liegt Deutschland?*

> *Deutschland liegt in Europa.*

2b Woher kommen Sie?

> *Ich komme aus Ungarn. Ungarn liegt in Europa.*

1 a
Ü3
Lesen Sie den Artikel und ergänzen Sie die Tabelle.

Name	Rosa Navas	Marcel Roy + Paul Hart	Ilkay Gül	Wang Jinjin	Leonidas Galanis
Land		Kanada		China	Griechenland
Nationalität	Spanierin		Türke		
Sprache/n					

Neue Heimat Deutschland

Rosa Navas kommt aus Spanien. Sie kommt aus Valencia. Sie spricht ein bisschen Englisch und Deutsch und natürlich Spanisch. Jetzt arbeitet sie in Heilbronn. Sie ist Altenpflegerin von Beruf.

Marcel Roy und Paul Hart kommen aus Quebec. Sie sind Kanadier und sprechen Englisch und Französisch. Jetzt sind sie Studenten in Berlin und lernen Deutsch. Sie lieben Berlin.

Ilkay Gül kommt aus der Türkei. Er ist Ingenieur. Er arbeitet bei VW in der Türkei und in Deutschland. Er ist oft in Deutschland. Er spricht Türkisch und Deutsch.

Wang Jinjin ist neu in Deutschland. Sie ist Chinesin und kommt aus Shanghai. Ihre Muttersprache ist Chinesisch und sie spricht auch ein bisschen Deutsch. Sie lebt und arbeitet in Frankfurt.

Leonidas Galanis ist Grieche und kommt aus Patras. Er wohnt jetzt in Freiburg und sucht Arbeit in Deutschland. Er ist Kinderarzt von Beruf. Er spricht Griechisch und Englisch und lernt jetzt Deutsch.

1 b Lesen Sie noch einmal und unterstreichen Sie die Verben im Text.

1 c Ergänzen Sie die Endungen in den Fragen.
Fragen und antworten Sie dann im Kurs.

1 Woher komm............ Frau Navas?
2 Was lern............ Paul und Marcel?
3 Was i............ Herr Gül von Beruf?
5 Wo arbeit............ Frau Wang?
6 Was mach............ Herr Galanis?

	kommen	arbeiten	sprechen	sein
er/sie	kommt	arbeitet	spricht	ist
sie (Pl.)	kommen	arbeiten	sprechen	sind

2a Hören Sie das Interview. Sind Herr und Frau Monti neu in Deutschland?

1.22

2b Hören Sie noch einmal und ergänzen Sie die Verben in der richtigen Form.

Ü4-5

> arbeiten • kommen • kommen • ~~leben~~ • lernen • sein • sprechen

1 Herr und Frau Monti *leben* schon lange in Deutschland.

2 Herr Monti .... bei Siemens.

3 Frau Monti .... Sekretärin von Beruf.

4 Frau Monti .... Polnisch und Deutsch.

5 Frau Monti .... aus Polen,

   Herr Monti .... aus Italien.

6 Herr und Frau Monti .... jetzt Englisch.

3a Notieren Sie Ihr Land, Ihre Nationalität und Ihre Sprachen und ergänzen Sie die Sätze.

Land:	Ich komm......... aus ....
Nationalität:	Ich b........ ....
Muttersprache:	Meine Muttersprache i........ ....
Sprache/n:	Ich sprech........ ....

3b Fragen Sie Ihren Partner / Ihre Partnerin und notieren Sie die Antworten.

Woher kommen Sie?

Welche Sprachen sprechen Sie?

Was ist Ihre Nationalität?

Wo liegt das?

3c Stellen Sie Ihren Partner / Ihre Partnerin vor.

Ü6-7

Das ist Sunicha. Sie kommt aus Thailand. Thailand liegt in Asien. Sie ist Thailänderin. Sie spricht Thailändisch und ein bisschen Deutsch.

Frau	sie
Mann	er
Plural	sie

4 Ein Würfelspiel mit Verben. Wählen Sie ein Verb aus.
Würfeln Sie und sagen Sie das Verb in der richtigen Form.

> kommen • lernen • machen • wohnen • arbeiten • heißen • sein • fragen

⚀ ich   ⚁ du   ⚂ er/sie   ⚃ wir   ⚄ ihr   ⚅ sie/Sie

1a Was sehen Sie auf dem Bild? Hören Sie die Wörter und sprechen Sie nach.

1.23 Ü8

die Tür das Fenster die Uhr der Stuhl das Plakat

die Tafel

der Laptop

die Lampe

die Tasche

das Tablet

die Flasche

die CD

das Buch

die Brille das Papier

das Heft das Wörterbuch

das Handy der Schlüssel der USB-Stick der Tisch der Kugelschreiber (der Kuli)

1b Welche Wörter passen zusammen? Es gibt verschiedene Möglichkeiten. Sammeln Sie und sprechen Sie die Paare mit Artikel.

das Fenster und die Tür

der Tisch und der Stuhl

2a Markieren Sie den unbestimmten und bestimmten Artikel wie im Beispiel.

Ü9

Das ist ein Bleistift. Das ist ein Buch. Das ist eine Tasche.
Der Bleistift kostet 70 Cent. Das Buch kostet 15 Euro. Die Tasche kostet 30 Euro.

2b Ergänzen Sie den unbestimmten Artikel.

der Stuhl – .... Stuhl
die Lampe – .... Lampe
das Heft – .... Heft

Artikel im Singular		
m	der	ein
n	das	ein
f	die	eine

2c Lesen Sie den Dialog und variieren Sie die Wörter in Grün.

● Wie heißt das auf Deutsch?
● Heft.
● Wie ist der Artikel?
● Das. Das Heft.
● Danke. Das ist ein Heft. Das Heft kostet 2 Euro.

3a Wie viele Dinge sind das? Ergänzen Sie.

Ü10

 1 Das ist .... Tasche.

 3 Das ist .... Bleistift.

5 Das ist .... Buch.

 2 Das sind .... Taschen.

 4 Das sind .... Bleistifte.

 6 Das sind .... Bücher.

3b Markieren Sie die Pluralendungen in 3a.

3c Benutzen Sie die Wortliste ab Seite 105 und schreiben Sie die Pluralformen zu den Wörtern. Fragen und antworten Sie dann.

> Tisch • Stuhl • Fenster • Handy • Plakat • Heft • Schlüssel • Stift

der Stuhl – die Stühle

Stuhl?

Prima! Der Stuhl – die Stühle. Das ist richtig!

In der Wortliste finden Sie die Pluralformen so:
Tasche, die, -n
Stift, der, -e
Buch, das, "-er

Sie lesen:
die Tasche, die Taschen
der Stift, die Stifte
das Buch, die Bücher

4 Artikel im Plural.
Schreiben Sie Sätze wie im Beispiel.

> kaputt • schick • interessant

 **1**

 **2**

 **3**

 **4**

1 Was ist das? *Das sind Stühle. Die Stühle sind kaputt.*

2 Was ist das? *Das sind* ....

3 Was ist das? ....

4 Was ist das? ....

Artikel im Plural

Pl. **die** Stifte – Stifte

5 Wie viele ... sind im Kursraum? Fragen und antworten Sie im Kurs.

Wie viele Stühle sind im Kursraum?

Zwanzig Stühle.

Wie viele ...?

2 C Zahlen, Zahlen, Zahlen

1.24

1 Zahlen bis 1000. Hören Sie und lesen Sie dann laut.

20	21	22	23…
zwanzig	einundzwanzig	zweiundzwanzig	dreiundzwanzig

30	40	50	60
dreißig	vierzig	fünfzig	sechzig

70	80	90	100
siebzig	achtzig	neunzig	(ein)hundert

101	110…	200…	1000…
(ein)hunderteins	(ein)hundertzehn	zweihundert	(ein)tausend

2 Lesen Sie die Zahlen laut.
Ü11

45   54   33   87   29   72   61

fünfundvierzig

3a Beim Berlin-Marathon. Schreiben Sie die Zahlen.
Ü12-14

1 .... sechshundertsechsundneunzig

2 .... zweihundertfünfundvierzig

3 .... dreihundertzweiundsiebzig

4 .... vierhundertdreiundachtzig

5 .... achthundertvierundzwanzig

6 .... siebenhundertsiebzehn

7 .... fünfhundertachtunddreißig

8 .... hundertelf

1.25 **3b** Hören Sie die Zahlen und sprechen Sie nach.

> ❗ am Telefon oft: zwo = zwei

1.26-30 **4a** Hören Sie und notieren Sie die Nummern.

1 Paul: ....   2 Herr Weiß: ....

3 Frau Tanner: ....   4 Sprachschule: ....

5 Birthe: Vorwahl: .... Telefonnummer: ....

4b Fragen und antworten Sie.
Ü15-17 Notieren Sie die Nummern.

> Wie ist Ihre Vorwahl?

> Meine Vorwahl ist …

D Wie ist Ihre Adresse?

1 Eine Visitenkarte verstehen. Ordnen Sie zu.

1 die Straße
2 die Vorwahl
3 die Telefonnummer
4 die Postleitzahl
5 die Hausnummer
6 die E-Mail-Adresse
7 der Vorname
8 der Nachname

KITA REGENBOGEN

Leiterin: Andrea Klein
Bismarckstraße 21
20259 Hamburg
Tel.: 040 - 41 09 861
E-Mail: kita-regenbogen@gmx.de

2 a 1.31 Ü18 Hören und lesen Sie. Notieren Sie die Angaben von Thomas Schulz auf der Visitenkarte.

- Kita Regenbogen, Andrea Klein.
- Guten Tag, hier spricht Thomas Schulz. Mein Sohn Ferdinand ist zwei Jahre alt. Wir suchen eine Kita. Haben Sie noch Plätze frei?
- Ja, wir haben noch Plätze frei. Wie ist Ihr Name und Ihre Adresse?
- Thomas Schulz, Juliusstraße 15 in Hamburg. Die Postleitzahl ist 22769 Hamburg.

- Und die Telefonnummer?
- Die Telefonnummer ist 41 09 861.
- Haben Sie eine E-Mail-Adresse?
- Ja, das ist schulz@gmx.de.
- Gut. Wir schicken Ihnen ein Anmeldeformular.
- Sehr gut! Vielen Dank und auf Wiederhören!
- Auf Wiederhören!

> **!** @ spricht man „ätt": schulz ätt ge em ix de e

Name: ....

Adresse: ....

....

Telefonnummer: ....

E-Mail: ....

2 b Lesen Sie noch einmal und beantworten Sie die Fragen.

1 Wie alt ist Ferdinand?
2 Was sucht Herr Schulz?
3 Wie ist die Hausnummer von Familie Schulz?
4 Wie ist die Postleitzahl?
5 Was ist die E-Mail-Adresse von Thomas Schulz?
6 Was schickt Frau Klein?

2 c Sprechen Sie den Dialog zu zweit.

3 Schreiben Sie Ihre eigene Visitenkarte.

Wörter sprechen

1a Sehen Sie die Bilder an und sagen Sie das Wort mit Artikel.

1b Erfinden und ergänzen Sie Preise wie im Beispiel. Fragen und antworten Sie.

Was kostet der Kuli?   Der Kuli kostet 15 Euro.   Das ist aber teuer!

Was kostet die Lampe?   Die Lampe kostet 5 Euro.   Das ist aber billig!

2 Zahlendiktat. An der Wand hängt eine Liste mit Zahlen. Gehen Sie zur Liste. Merken Sie sich eine Zahl und diktieren Sie sie dann Ihrem Partner / Ihrer Partnerin.

Minidialoge sprechen

3a Hören Sie und sprechen Sie nach.

1 … Name?	… Ihr Name?	Wie ist Ihr Name?
2 … Adresse?	… Ihre Adresse?	Wie ist Ihre Adresse?
3 … Handynummer?	… Ihre Handynummer?	Wie ist Ihre Handynummer?
4 … E-Mail-Adresse?	… Ihre E-Mail-Adresse?	Wie ist Ihre E-Mail-Adresse?
5 … Postleitzahl?	… Ihre Postleitzahl?	Wie ist Ihre Postleitzahl?

3b Fragen und antworten Sie.

Grammatik sprechen

4 Konjugation üben. Arbeiten Sie zu zweit. Fragen und antworten Sie wie im Beispiel.

1 Ich lerne Deutsch. Und Paul Hart?
2 Ich lebe in Deutschland. Und Herr und Frau Monti?
3 Ich wohne in Freiburg. Und Herr Galanis?
4 Ich arbeite in Frankfurt. Und Frau Wang?
5 Ich bin Ingenieur. Und Herr Gül?
6 Ich spreche Deutsch. Und Herr und Frau Monti?

> Ich lerne Deutsch. Und Paul Hart?

> Er lernt auch Deutsch.

5 Plural üben. Beschreiben Sie das Bild.

> Hier sind sechs Stühle.

Flüssig sprechen

6 Hören Sie zu und sprechen Sie nach.
1.33

VIDEO

Clip 03
Seite 93

Dialogtraining

7a Hören und lesen Sie den Dialog.
1.34

- Mein Kind heißt Luis Fernández-Weber.
- Und wie alt ist Luis?
- Er ist fünf Jahre alt.
- Kommen Sie aus Spanien?
- Ja, ich bin Spanier.
- Welche Sprachen spricht Luis?
- Er spricht Deutsch und Spanisch.
- Ich schicke ein Anmeldeformular. Haben Sie eine E-Mail-Adresse?

7b Sprechen Sie zu zweit und variieren Sie die Wörter in Grün.

Kommunikation

Adresse/Telefonnummer

- Wie ist Ihre/deine Adresse?
- Ich wohne in der Schillerstraße 18 in München. Die Postleitzahl ist …
- Wie ist Ihre/deine Telefonnummer?
- Meine Telefonnummer ist …

Muttersprache/Nationalität

- Welche Sprachen sprechen Sie / sprichst du?
- Ich spreche …
- Was ist Ihre/deine Nationalität?
- Ich bin …

jemanden vorstellen

Das ist Ferran Hernández. Er kommt aus Spanien, aus Barcelona. Er ist Spanier. Er lebt und arbeitet in Frankfurt. Er spricht Spanisch.

nach Wörtern fragen

Was ist das?
Wie heißt das auf Deutsch?
Wie ist der Artikel?
Wie schreibt man das?

Grammatik

Verben im Präsens

	kommen*	arbeiten	sprechen	sein
ich	komme	arbeite	spreche	bin
du	kommst	arbeitest	sprichst	bist
er/es/sie	kommt	arbeitet	spricht	ist
wir	kommen	arbeiten	sprechen	sind
ihr	kommt	arbeitet	sprecht	seid
sie/Sie	kommen	arbeiten	sprechen	sind

*genauso: lernen, machen, leben, wohnen …

Nomen und Artikel

	bestimmter Artikel	unbestimmter Artikel
m (maskulin)	der Mann	ein Mann
n (neutral)	das Kind	ein Kind
f (feminin)	die Frau	eine Frau
Pl. (Plural)	die Stühle	– Stühle

Das ist **eine** Tasche. **Die** Tasche ist schick.

W-Fragen

	Verb	
Wie	heißen	Sie?
Wo	wohnen	Sie?
Was	sind	Sie von Beruf?
Wer	ist	das?
Woher	kommt	Frau Alvarez?

Pluralformen

-e (+Umlaut)	-en	-n
das Plakat, die Plakate der Stuhl, die Stühle	die Uhr, die Uhren	die Tasche, die Taschen
–	-s	-er (+Umlaut)
das Fenster, die Fenster der Zettel, die Zettel	der Kuli, die Kulis das Handy, die Handys	das Kind, die Kinder das Buch, die Bücher

Häuser und Wohnungen

die Küche

das Schlafzimmer

das Wohnzimmer

Sie lernen

- über Wohnungen und Möbel sprechen
- die Wohnsituation beschreiben
- Wohnungsanzeigen verstehen
- Negation mit *kein*
- Ja/Nein-Fragen
- Akkusativ

1
Ü1

Möbel. Welche Wörter kennen Sie? Ordnen Sie zu.

☐ die Spüle ☐ der Schrank ☐ das Bild

☐ das Bett ☐ der Fernseher ☐ das Regal

☐ der Herd ☐ der Sessel ☐ der Teppich

☑ das Sofa ☐ die Lampe ☐ der Vorhang

2
Ü2

Sprechen Sie über die Wohnung. Wie sind die Möbel?

alt • neu • modern • groß • klein • schön • hässlich • bequem • unbequem • ordentlich • unordentlich

der	→	er
das	→	es
die	→	sie
die (Pl.)	→	sie

*Da ist ein Schrank.
Er ist groß.*

*Da ist ein Bett.
Es ist schön.*

Da sind Lampen. Sie sind modern.

Da ist eine Spüle. Sie ist klein.

A Wir brauchen eine Mikrowelle

1a Eine neue Wohnung. Was fehlt hier? Ergänzen Sie die Sätze. Der Grammatikkasten hilft.
Ü3-4

1 Im Wohnzimmer ist *ein* Tisch und .... Sessel.

2 Im Wohnzimmer ist *kein* Sofa und .... Lampe.

3 Im Wohnzimmer ist .... Regal, aber .... Bild.

4 In der Küche ist .... Spüle und .... Kühlschrank.

5 In der Küche ist .... Herd und .... Schrank.

6 In der Küche sind .... Blumen, aber .... Stühle.

Das ist … / Das sind…		
m	ein Tisch	kein Tisch
n	ein Sofa	kein Sofa
f	eine Lampe	keine Lampe
Pl.	– Stühle	keine Stühle

1b Was fehlt noch? Sammeln Sie weitere Gegenstände.

In der Küche ist kein/e …

Im Wohnzimmer ist kein/e …

🔊 **2a** Herr und Frau Santos in der neuen Wohnung. Welche Wörter hören Sie? Kreuzen Sie an.
1.35 Ü5-6

☐ Stühle
☐ Spülmaschine
☐ Tisch
☐ Teppich
☐ Regal
☐ Sessel

haben	
ich	habe
du	**hast**
er/sie	**hat**
wir	haben
ihr	habt
sie/Sie	haben

2b Hören Sie das Gespräch noch einmal. Kreuzen Sie an:
Richtig oder falsch?

　　　　　　　　　　　　　　　　　　　　R　　F

1 Familie Santos hat kein Regal.　　　　☐　☐
2 Familie Santos braucht einen Teppich.　☐　☐
3 Familie Santos braucht eine Spülmaschine.　☐　☐
4 Familie Santos kauft Stühle.　　　　　☐　☐

3 a
Ü7-9

Was hat Familie Santos? Was braucht sie und was kauft sie? Schreiben Sie Sätze.

Familie Santos	hat braucht kauft	einen keinen eine keine – kein ein	Fernseher Tisch Waschmaschine Mikrowelle Handy Stühle Lampen

Akkusativ		
Sie haben/brauchen/kaufen …		
m	ein en Tisch	kein en Tisch
n	ein Regal	kein Regal
f	eine Lampe	keine Lampe
Pl.	– Stühle	keine Stühle

3 b
Was haben Sie (nicht), was brauchen Sie (nicht)? Schreiben Sie Sätze und lesen Sie vor.

Ich habe zwei Tische und brauche keinen Tisch.

4 a
Ü10
Farben. Beschreiben Sie das Zimmer.

Die Wand ist orange.

Das Sofa ist …

| rot | rosa | lila | blau | grün | gelb | orange | braun | weiß | grau | schwarz |

4 b
Was ist Ihre Lieblingsfarbe? Fragen und antworten Sie.

1.36 **5 a**
Ü11-14
Hören Sie den Dialog und lesen Sie mit.

- Guck mal, wie findest du den Sessel?
- Super. Der Sessel ist sehr elegant.
- Ja, das finde ich auch.
- Gut, dann kaufen wir den Sessel.

Akkusativ
Wie findest du …
den Sessel
das Regal
die Lampe?
die Stühle?

5 b
Sprechen Sie den Dialog zu zweit und variieren Sie die Wörter in Grün.

😊 sehr schön – toll – super – schön – elegant – gemütlich

😐 ganz schön – nicht schlecht – okay

☹ langweilig – nicht schön – hässlich – furchtbar

B Ist das ein Tisch?

1a Hören Sie den Dialog und lesen Sie mit.

- Was ist das? Ist das ein Tisch?
- Nein, das ist kein Tisch. Das ist eine Lampe.
- Wirklich?
- Ja, schau mal.
- Oh, klasse!

1b Schreiben Sie Fragen wie im Beispiel.

Ist das ein Bett?

Ja/Nein-Fragen

Ist das ein Tisch?	Ja, das **ist** ein Tisch.
	Nein, das **ist** kein Tisch.

ein Bett?

ein Stuhl?

ein Waschbecken?

eine Spülmaschine?

eine Kommode?

1c Hören Sie die Fragen zur Kontrolle und sprechen Sie nach.

1d Fragen und antworten Sie zu zweit wie in 1a.

2a Schreiben Sie Ja/Nein-Fragen zu den Antworten.

1 ....? Ja, ich brauche eine Mikrowelle.

2 ....? Nein, ich habe keinen Fernseher.

3 ....? Ja, sie kauft einen Laptop.

4 ....? Nein, er hat keine Spülmaschine.

2b Und Ihre Wohnung? Fragen und antworten Sie.

Haben Sie eine Mikrowelle?

Hast du ein Sofa?

Nein, ich habe keine Mikrowelle.
Ich brauche auch keine Mikrowelle.

Ja. Das Sofa ist weiß.

C Ein Mehrfamilienhaus

1 a
Ü16

Sehen Sie das Foto an. Wie viele Personen wohnen in dem Haus? Was denken Sie?

- im Dachgeschoss ☐
- im 3. (dritten) Stock ☐
- im 2. (zweiten) Stock ☐
- im 1. (ersten) Stock ☐
- im Erdgeschoss ☐

1 b
1.39

Wo klingelt Mirko? Hören Sie den Dialog und kreuzen Sie in 1a an.

2 a
Ü17-18

Lesen Sie den Text und beantworten Sie die Fragen.

Herr und Frau Koval wohnen und arbeiten oben im Dachgeschoss.
Familie Wang wohnt im 2. Stock links. Familie Singer wohnt rechts.
Familie Waltermann wohnt im 1. Stock links. Frau Costa wohnt rechts.
Unten im Erdgeschoss sind Geschäfte. Es gibt einen Asienladen. Hier arbeitet Herr Lim.
Es gibt auch einen Obst- und Gemüseladen. Hier arbeiten Herr und Frau Demir.

1 Wohnen Herr und Frau Koval im Erdgeschoss?
2 Wohnt Familie Singer im zweiten Stock?
3 Wohnt Familie Demir im ersten Stock links?
4 Sind die Geschäfte im Dachgeschoss?

es gibt + Akkusativ
Es gibt einen Laden.

2 b Wer wohnt wo? Wer arbeitet wo?
Fragen und antworten Sie im Kurs.

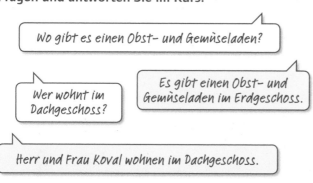

Wo gibt es einen Obst- und Gemüseladen?

Wer wohnt im Dachgeschoss?

Es gibt einen Obst- und Gemüseladen im Erdgeschoss.

Herr und Frau Koval wohnen im Dachgeschoss.

oben

links   rechts

Koval
Malakjan   Demir
Wang   Singer
Waltermann   Costa

unten

3 Wo wohnen Sie? Fragen und antworten Sie im Kurs.

Wo wohnen Sie?

Ich wohne im …

Und Sie?

D   Eine Wohnung suchen

1 a
Ü19-21

Wie wohnen die Personen jetzt? Lesen Sie die Blogtexte und ergänzen Sie die Tabelle.

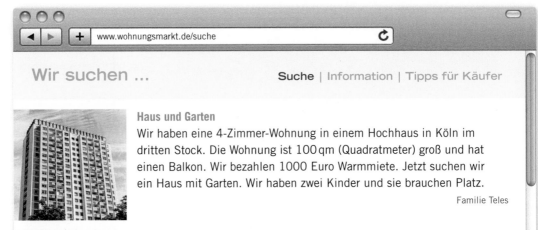

Wir suchen ...   Suche | Information | Tipps für Käufer

Haus und Garten

Wir haben eine 4-Zimmer-Wohnung in einem Hochhaus in Köln im dritten Stock. Die Wohnung ist 100 qm (Quadratmeter) groß und hat einen Balkon. Wir bezahlen 1000 Euro Warmmiete. Jetzt suchen wir ein Haus mit Garten. Wir haben zwei Kinder und sie brauchen Platz.

Familie Teles

Wohnung

Wir haben ein Reihenhaus in Oggersheim, das ist in der Nähe von Mannheim. Wir haben sehr viel Platz: Das Haus hat zwei Stockwerke, es ist 180 qm groß und hat fünf Zimmer. Wir haben einen Sohn. Er ist verheiratet und wohnt jetzt in Stuttgart. Wir suchen auch eine Wohnung in Stuttgart. Drei Zimmer sind genug.

Beata und Nikita Badora

Haus in Dresden

Wir haben ein Haus in Brühl in der Nähe von Köln. Das Haus ist 150 qm groß. Der Garten und die Terrasse sind sehr groß und schön, die Straße ist sehr ruhig. Jetzt arbeiten wir in Dresden und wir brauchen ein Haus in Dresden. Wir haben vier Kinder, wir brauchen sechs Zimmer und einen Garten oder eine Terrasse.

Familie Kunze

	Familie Teles	**Herr und Frau Badora**	**Familie Kunze**
Wohnort	Köln		
Kinder			
Zimmer			
Quadratmeter (qm)			

> Familie Teles wohnt in Köln. Sie hat ...

1 b   Stellen Sie die Familien vor.

2   Familie Kunze und Herr und Frau Badora suchen ein Haus und eine Wohnung. Welche Anzeige passt? Was denken Sie?

Vermietungen

3 Zi, Stuttgart-Stadtmitte,
Neubau, 88 qm, EG, Kü., Bad, viel Sonne,
600 Euro + 110 Euro NK

Stuttgart, 53 qm im Dachgeschoss,
zentrale Lage, 2 ½ Zi., 360 Euro + NK

EFH in Dresden
125 qm, 4 Zimmer, Garten
Miete 1800 Euro + NK

EFH in Dresden-Südvorstadt
mit Garten, Garage, 158 qm, ruhig,
Miete 930 Euro + 100 Euro NK

3 Ordnen Sie die Abkürzungen zu.

Ü22

1	1. OG	**A**	Erdgeschoss
2	EFH	**B**	Küche
3	2 Zi.	**C**	Nebenkosten
4	EG	**D**	1. Obergeschoss
5	Kü.	**E**	Einfamilienhaus
6	NK	**F**	zwei Zimmer
7	DG	**G**	Zentralheizung
8	BLK	**H**	Einbauküche
9	ZH	**I**	Dachgeschoss
10	EBK	**J**	Balkon
11	Whg.	**K**	Quadratmeter
12	qm	**L**	Wohnung

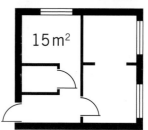

4a Wie sind die Wohnungen? Was passt? Ordnen Sie zu.

~~kalt~~ – warm   hell – dunkel   groß – klein   laut – ruhig

.............kalt............   ....

....

4b Meine Wohnung. Ergänzen Sie die Lücken. Hören und kontrollieren Sie dann.

1.40

> groß • günstig • dritten Stock • Zimmer • hell

Meine Wohnung ist ...., sie kostet 400 Euro Miete ohne Nebenkosten.

Sie ist 50 qm .... und sehr .... Sie hat zwei

...............................: ein Wohnzimmer, ein Schlafzimmer, eine Küche und ein Bad.

Ich wohne im ....

4c Wie ist Ihre Wohnung? Berichten Sie im Kurs.

> Wie ist Ihre Wohnung?

> Meine Wohnung ist ruhig. Das Schlafzimmer ist klein.

4d Schreiben Sie einen Text wie in 4b: Meine Wohnung.

Wörter sprechen

1a Möbel und Farben. Ein Frage-Antwort-Spiel. Sprechen Sie zu zweit wie im Beispiel.

1b Wie heißt das Gegenteil? Fragen Sie sich gegenseitig.

klein	≠	groß	hell	≠	dunkel
schön	≠	hässlich	teuer	≠	billig
alt	≠	neu oder modern	gemütlich	≠	ungemütlich
kalt	≠	warm	bequem	≠	unbequem
laut	≠	ruhig	interessant	≠	langweilig

Minidialoge sprechen

2a Lesen Sie die Wörter laut.

> die Wohnung • das Zimmer • die Küche • das Bad • der Balkon • die Nebenkosten

2b 🔊 1.41 Hören Sie die Minidialoge und lesen Sie leise mit.

- Wie ist Ihre Wohnung?
- Meine Wohnung ist klein, aber hell.

- Wie viele Zimmer haben Sie?
- Drei Zimmer, eine Küche und ein Bad.

- Haben Sie auch einen Balkon?
- Nein, ich habe keinen Balkon.

- Was kostet Ihre Wohnung?
- Sie kostet 950 Euro ohne Nebenkosten.

2c Sprechen Sie die Minidialoge zu zweit und variieren Sie die Wörter in Grün.

Grammatik sprechen

🔊 **3** **Akkusativ. Hören Sie und antworten Sie wie in den Beispielen.**
1.42

Der Tisch ist schön.	Der Schrank ist groß.
Die Lampe ist elegant.	Die Regale sind super.
Das Sofa ist gemütlich.	Die Waschmaschine ist billig.
Die Stühle sind billig.	Das Bett ist toll.

> Ja, aber wir brauchen keinen Tisch.

> Ja, aber wir brauchen keine Lampe.

> Ja, aber …

4 **Fragen üben. Schreiben Sie Fragen. Fragen und antworten Sie.**

Name? Beruf? Land?

Wohnort? Wohnung? Lieblingsfarbe? Sprachen?

Flüssig sprechen

🔊 **5** **Hören Sie zu und sprechen Sie nach.**
1.43

VIDEO

Clip 04
Seite 94

Dialogtraining

🔊 **6a** **Hören Sie den Dialog. Wie viele Personen sprechen?**
1.44

6b **Hören Sie noch einmal. Wer sagt was? Ergänzen Sie die Namen.**

.... Und: Wie findet ihr die Wohnung?
Ich finde sie sehr gemütlich!

.... Gemütlich?? Sie ist klein und
langweilig.

.... Klein? Die Wohnung ist 95
Quadratmeter groß und wir haben vier Zimmer!

.... Ich finde die Wohnung
schön, …

.... Aber?

.... … aber es gibt keinen
Balkon.

.... Ein Balkon ist nicht so wichtig. Das Badezimmer ist furchtbar.

.... Ja, das finde ich auch. Es ist dunkel!

Julia Luis Antonio Corinna

6c **Lesen Sie den Dialog zu dritt.**

Gewusst wie

Kommunikation

über Wohnungen und Möbel sprechen

- Wir haben keinen Teppich.
- Aber wir brauchen keinen Teppich. Wir brauchen eine Spülmaschine.

- Was kostet die Wohnung?
- 500 Euro ohne Nebenkosten.
- Wie viele Zimmer haben Sie?
- Drei Zimmer und eine Küche und ein Badezimmer.

über Dinge sprechen

- Ist das ein Tisch?
- Nein, das ist kein Tisch. Das ist eine Lampe.
- Wirklich?
- Der Stuhl ist schön. Ich kaufe den Stuhl.

- Wie findest du die Lampe?
- Ich finde die Lampe elegant.

die Wohnsituation beschreiben

Das Haus ist 125 qm groß. Im Erdgeschoss sind die Küche und das Wohnzimmer, im 1. Stock sind zwei Kinderzimmer und das Schlafzimmer. Wir haben einen Garten.

Ich habe eine 1-Zimmer-Wohnung. Sie ist 35 qm groß und kostet 400 Euro Warmmiete. Die Wohnung ist klein, aber sie ist hell und hat einen Balkon.

Grammatik

haben

ich	habe
du	**hast**
er/es/sie	**hat**
wir	haben
ihr	habt
sie/Sie	haben

Artikel und Pronomen

De**r** Herd ist neu. E**r** ist modern.
Da**s** Bild ist neu. E**s** ist hässlich.
Di**e** Küche ist alt. **Sie** ist gemütlich.
Di**e** Blumen sind rosa. **Sie** sind sehr schön.

Nominativ und Akkusativ:

bestimmter Artikel, unbestimmter Artikel und negativer Artikel

	m	n	f	Plural
Nominativ Das ist/sind …	der Tisch ein Tisch kein Tisch	das Regal ein Regal kein Regal	die Küche eine Küche keine Küche	die Stühle – Stühle keine Stühle
Akkusativ Ich habe …	den Tisch einen Tisch keinen Tisch			

Ja/Nein-Fragen

		Ist	der Sessel bequem?
Ja,	er	ist	sehr bequem.
		Brauchen	Sie eine Lampe?
Nein,	ich	brauche	keine Lampe.

Familienleben

meine Großmutter, mein Großvater

ich

meine Mutter, mein Vater

mein Bruder

meine Schwester

Sie lernen

- über die Familie sprechen
- eine Stadtbesichtigung planen
- über Freizeitaktivitäten sprechen
- Possessivartikel im Singular
- Verben mit Vokalwechsel
- *haben* und *sein* im Präteritum

1 **Sehen Sie die Fotos an und ergänzen Sie.**

Meine Großeltern: ...., ...

Meine Eltern: *mein Vater* , ...

Meine Geschwister: ...., ...

2 **Nina erzählt. Wer ist wer? Hören und ergänzen Sie.**
1.45

Tobias: *Bruder* .... Brigitte: .... Peter: ....

Lisa: .... Sabine: .... Thomas: ....

3 **Wie groß ist Ihre Familie? Berichten Sie im Kurs.**
Ü1-2

> Meine Familie ist klein. Ich habe nur einen Bruder, ...

> Meine Familie ist sehr groß. Ich habe viele Verwandte: ...

!

Verwandte		
Großeltern:	Großvater, Großmutter	
Eltern:	Vater, Mutter	Onkel, Tante
Geschwister:	Schwester, Bruder	Cousin, Cousine
Kinder:	Sohn, Tochter	Neffe, Nichte
Enkelkinder:	Enkel, Enkelin	

🔊 **1a** **Hören und lesen Sie und ordnen Sie die Fotos dem Dialog zu.**
1.46   Ü3-6

- Haben Sie Fotos dabei?
- Ja, hier ☐, das ist meine Schwester.
  Und das sind ihre Töchter, Sara und Rebecca.
- Und der Mann? Ist das ihr Mann?
- Ja, das ist Thomas, ihr Mann.
  Haben Sie auch Familienfotos?
- Ja, hier ☐ sind mein Bruder und seine Frau.
  Er hat auch einen Sohn, hier ☐ ist sein Sohn.
  Er ist zwei Jahre alt.
- Oh, der ist aber süß.

1b **Lesen Sie den Dialog zu zweit.**

1c **Der Possessivartikel. Lesen Sie den Dialog in 1a und ergänzen Sie die Tabelle.**

Possessivartikel				
	der Bruder	das Kind	die Schwester	die Kinder
ich		mein		meine
du	dein	dein	deine	deine
er/es		sein		seine
sie		ihr	ihre	
Sie	Ihr	Ihr	Ihre	Ihre

2 ***sein-* oder *ihr-*? Ergänzen Sie den Dialog. Lesen Sie ihn dann zu zweit.**
Ü7

- Das ist meine Schwester.

  Und das ist .... Mann und das ist

  .... Sohn.

- Hat sie auch eine Tochter?

- Ja, aber .... Tochter wohnt nicht mehr zu
  Hause.
  Sie studiert schon. Hast du auch Fotos dabei?

- Ja, hier. Das ist mein Freund Luka. Er kommt aus
  Kroatien. Er ist verheiratet und hat zwei Kinder.

  .... Frau, ... Tochter und

  .... Sohn wohnen noch in Kroatien.
  Die Kinder sind noch sehr klein.

3 a Formell oder informell? Ergänzen Sie.

Ü8-9

formell

informell

1 Woher kommen ....?	**1** Woher kommst ....?
2 Wo wohnen .... Eltern?	**2** Wo wohnen .... Eltern?
3 Wo wohnt .... Familie?	**3** Wo wohnt .... Familie?
4 Haben .... Kinder?	**4** Hast .... Kinder?
5 Wie heißen .... Kinder?	**5** Wie heißen .... Kinder?
6 Ist .... Familie groß?	**6** Ist .... Familie groß?

3 b Arbeiten Sie zu zweit. Entscheiden Sie: formell oder informell? Fragen und antworten Sie.

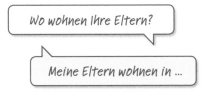

Wo wohnen Ihre Eltern?

Meine Eltern wohnen in ...

Wo wohnen deine Eltern?

Meine Eltern wohnen in ...

4 Das Mein-dein-Spiel. Spielen Sie im Kurs.

Luisa, sind das deine Bücher?

Olga, ist das deine Uhr?

Nein, das ist seine Uhr.

1a
Ü10-13

Sehen Sie die Fotos an und lesen Sie den Text. Was ist falsch? Korrigieren Sie.

Der Sonntag bei Familie Fischer ist oft sehr ruhig. Alle faulenzen, niemand spricht. Tobias Fischer schläft. Katharina liest ein Buch. Herr Fischer isst Schokolade und sieht einen Film. Frau Fischer fährt nach Potsdam. Sie nimmt die S-Bahn. In Potsdam trifft sie eine Freundin.

1 _Herr Fischer_ schläft.

2 .... isst Schokolade.

3 .... sieht einen Film.

4 .... liest.

5 .... fährt nach Potsdam.

6 .... nimmt die S-Bahn.

7 .... trifft in Potsdam eine Freundin.

1b
Markieren Sie in 1a die folgenden Verben und machen Sie eine Liste wie im Beispiel.

schlafen • treffen • sehen • fahren • lesen • nehmen • essen • sprechen

sprechen – er/es/sie spricht
schlafen – er/es/sie

Verben mit Vokalwechsel

	e → i	e → ie	a → ä
	sprechen	lesen	schlafen
ich	spreche	lese	schlafe
du	sprichst	liest	schläfst
er/es/sie	spricht	liest	schläft
wir	sprechen	lesen	schlafen
ihr	sprecht	lest	schlaft
sie/Sie	sprechen	lesen	schlafen

! nehmen – er/es/sie ni**mm**t

1c
Fragen Sie sich gegenseitig.

2
Was macht Katharina? Schreiben Sie Sätze.

den Bus nehmen • Pizza essen • Lea treffen • einen Film sehen • nach Hause fahren

🔊 1.47 **3** Ü14   Verwandte besuchen. Hören Sie und ordnen Sie den Dialog.

☐ • Ja, ich habe jetzt Zeit und komme gerne nach Berlin.

☐ • Ja, super! Ich habe viele Ideen. In Berlin gibt es viele Sehenswürdigkeiten.

☐ • Ich komme am Wochenende und bleibe zwei Tage. O.k.? Was machen wir?

☐ • Hallo, Alberto, hier ist Elena. Kommst du bald nach Berlin?

☐ • Das ist schön. Wann kommst du?

Wo?	⊙	**in** Berlin
Wohin?	→	**nach** Berlin

4a Ü15   Was machen Elena Salvador und ihr Bruder? Ordnen Sie zu.

eine Radtour machen • Lebensmittel im Supermarkt kaufen • Sehenswürdigkeiten besichtigen • ein Straßenfest besuchen • zu Mittag essen • einen Kaffee trinken

A ☐

....

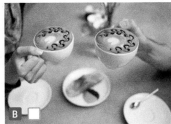

B ☐

....

C ☐

....

D ☐

....

E ☐

....

F ☐

....

🔊 1.48   **4b** Hören Sie und bringen Sie die Fotos in die richtige Reihenfolge.

4c Was machen Elena und ihr Bruder? Schreiben Sie.

Zuerst kaufen sie Lebensmittel im Supermarkt. Dann …

zuerst → dann → danach

Sie	kaufen	zuerst	Lebensmittel im Supermarkt.
Zuerst	kaufen	**sie**	Lebensmittel im Supermarkt.

5a
Ü16-19

Welche Sehenswürdigkeiten gibt es in Berlin, Hamburg und München? Was kennen Sie schon? Sehen Sie die Plakate an und sprechen Sie im Kurs.

München

das Oktoberfest

das Fußballstadion

> In Hamburg gibt es den Hafen. Man kann eine Hafenrundfahrt machen.

> Ich kenne den Marienplatz in München.

Berlin

der Potsdamer Platz

der Reichstag

das Rathaus

die Elbphilharmonie

Hamburg

◀)) 1.49

5b
Marek besucht Anna. Hören Sie den Dialog. Wo wohnt Anna?

5c
Hören Sie noch einmal: Was machen Marek und Anna? Schreiben Sie.

1 Zuerst *machen sie einen Stadtbummel.*

2 Dann *besichtigen sie*

3 Danach

★★★★ 6
Projekt: Was gibt es in Ihrer Stadt? Sammeln Sie und präsentieren Sie im Kurs.

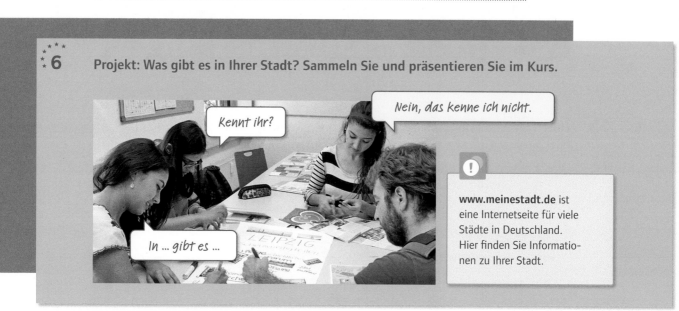

> Kennt ihr?

> Nein, das kenne ich nicht.

> In ... gibt es ...

❗ www.meinestadt.de ist eine Internetseite für viele Städte in Deutschland. Hier finden Sie Informationen zu Ihrer Stadt.

1a Hermine Müller erzählt. Hören Sie den Text und kreuzen Sie an: Richtig oder falsch?

1.50 Ü20-22

		R	F
1	Ihr Großvater hatte sechs Kinder.	☐	☐
2	Ihr Vater war Arzt.	☐	☐
3	Ihre Mutter war auch Ärztin.	☐	☐
4	Die Kindheit von Frau Müller war langweilig.	☐	☐

1b Lesen Sie die Sätze in 1a noch einmal und unterstreichen Sie die Verben.

1c Hermines Familie früher. Lesen Sie den Grammatikkasten und ergänzen Sie den Text.

1.51 Kontrollieren Sie dann mit der CD.

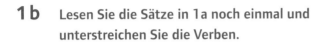

war • war • war • war • waren • waren • waren • hatte • hatte • hatte • hatte • hatten • hatten

	haben	sein
ich	hatte	war
du	hattest	warst
er/es/sie	hatte	war
wir	hatten	waren
ihr	hattet	wart
sie/Sie	hatten	waren

Früher .... alles anders. Die Familien in Deutschland .... groß, eine Familie .... oft fünf, sechs oder mehr Kinder. Auf dem Foto sind meine Großeltern und ihre Kinder. Meine Großeltern .... sechs Kinder. Meine Mutter sitzt vorne in der Mitte. Mein Großvater .... Arzt von Beruf, mein Vater .... auch Arzt. Meine Mutter .... keinen Beruf. Sie .... viel Arbeit im Haus. Wir .... drei Geschwister. Wir .... natürlich keinen Computer und kein Smartphone. Wir .... viel draußen. Das .... schön. Ich .... keine langweilige Kindheit.

Hermine Müller, 81

1d Fragen zum Text. Ordnen Sie zu und antworten Sie.

1	Wie viele Geschwister	A	von Beruf?
2	Was war ihr Vater	B	viel Arbeit?
3	Wie viele Kinder hatten	C	hatte Hermine?
4	Hatte ihre Mutter	D	ihre Großeltern?

2 Ihre Großeltern. Fragen und antworten Sie.

Was war Ihr Großvater von Beruf?

Wie viele Geschwister hatten Ihre Großeltern?

Wörter sprechen

1a 🔊 1.52 Was passt zusammen? Hören Sie und sagen Sie das passende Wort.

die Mutter
die Nichte
die Tochter
die Schwester
die Tante
die Cousine
die Großmutter

der Vater   der Großvater   der Sohn

der Onkel   der Cousin

der Bruder   der Neffe

1b Sprechen Sie Rätselaufgaben für Ihren Partner.

Tochter und Mutter ist wie Sohn und ...?

Tochter und Mutter ist wie Sohn und Vater.

2a Welche Verben sehen Sie? Sprechen Sie.

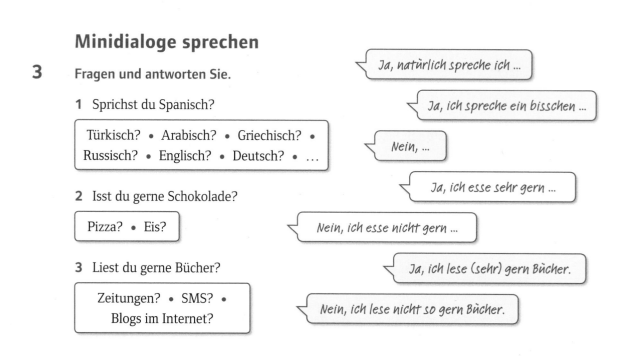

2b 🔊 1.53 Hören Sie die Verben, sprechen Sie nach und kontrollieren Sie.

Minidialoge sprechen

3 Fragen und antworten Sie.

Ja, natürlich spreche ich ...

1 Sprichst du Spanisch?

Ja, ich spreche ein bisschen ...

Türkisch? • Arabisch? • Griechisch? • Russisch? • Englisch? • Deutsch? • …

Nein, ...

Ja, ich esse sehr gern ...

2 Isst du gerne Schokolade?

Pizza? • Eis?

Nein, ich esse nicht gern ...

3 Liest du gerne Bücher?

Ja, ich lese (sehr) gern Bücher.

Zeitungen? • SMS? • Blogs im Internet?

Nein, ich lese nicht so gern Bücher.

Grammatik sprechen

4 Zeigen Sie und sprechen Sie wie im Beispiel.

Ich glaube, das ist ihre Tasche.

Nein, das glaube ich nicht. Ich glaube, ...

Flüssig sprechen

🔊
1.54

5 Hören Sie zu und sprechen Sie nach.

VIDEO

Clip 05
Seite 95

Dialogtraining

🔊
1.55

6a Hören und lesen Sie den Dialog. Ergänzen Sie die Wörter.

● Und, was machen wir morgen?

● Wir sehen einen Film! Oder wir ....
und essen Pizza!

● Ich habe eine Idee. Wir .... die
S-Bahn und fahren nach Potsdam. Potsdam ist sehr
schön. Die Stadt hat viele Sehenswürdigkeiten.

● Gut. Wir .... morgen nach Potsdam.

● Und was machen wir jetzt?

● Jetzt .... ich noch einen Kaffee und dann kaufen wir Lebensmittel im
Supermarkt.

● Prima! .... wir auch Pizza?

6b Sprechen Sie den Dialog zu dritt. Wie geht es vielleicht weiter?

Kommunikation

über die Familie sprechen

Meine Familie ist groß. Ich habe fünf Geschwister: vier Schwestern und einen Bruder. Und ich habe vier Tanten und fünf Onkel, zwei Cousins und zwei Cousinen.

über Vergangenes sprechen

Früher waren die Familien groß. Meine Großeltern hatten sieben Kinder. Mein Großvater war Arzt von Beruf.

eine Stadtbesichtigung planen

Zuerst kaufen wir Lebensmittel, dann essen wir zu Mittag. Danach machen wir eine Radtour. Dann machen wir einen Stadtbummel und danach besuchen wir ein Straßenfest.

über Freizeitaktivitäten sprechen

- Liest du gerne Bücher?
- Nein, ich lese nicht so gerne Bücher. Ich lese gerne Internet-Blogs.

Grammatik

Possessivartikel

	m	n	f	Plural
ich	**mein** Bruder	**mein** Kind	**meine** Schwester	**meine** Eltern
du	**dein** Bruder	**dein** Kind	**deine** Schwester	**deine** Eltern
er/es	**sein** Bruder	**sein** Kind	**seine** Schwester	**seine** Eltern
sie	**ihr** Bruder	**ihr** Kind	**ihre** Schwester	**ihre** Eltern
Sie	**Ihr** Bruder	**Ihr** Kind	**Ihre** Schwester	**Ihre** Eltern

Verben mit Vokalwechsel

	e → i	e → ie	a → ä
	sprechen	**lesen**	**schlafen**
ich	spreche	lese	schlafe
du	spri**ch**st	**lie**st	schl**ä**fst
er/es/sie	spri**ch**t	**lie**st	schl**ä**ft
wir	sprechen	lesen	schlafen
ihr	sprecht	lest	schlaft
sie/Sie	sprechen	lesen	schlafen

! nehmen – er/es/sie nimmt

- Nimmst du den Bus?
- Nein, ich nehme die S-Bahn.

sein und *haben* im Präteritum

	sein	haben
ich	war	hatte
du	warst	hattest
er/es/sie	war	hatte
wir	waren	hatten
ihr	wart	hattet
sie/Sie	waren	hatten

Wörter im Satz

Sie	kaufen	zuerst	Lebensmittel.
Zuerst	kaufen	sie	Lebensmittel.
Sie	trinken	danach	einen Kaffee.
Danach	trinken	sie	einen Kaffee.

Kommunikation

🔊 1
1.56

Hören Sie die Dialoge und ordnen Sie die Fragen zu.

- Entschuldigen Sie, können Sie das bitte wiederholen?   Dialog ☐
- Kann ich heute 20 Minuten früher gehen? Ich habe einen Termin.   Dialog ☐
- Ja, was ist der Unterschied von *wo* und *woher*?   Dialog ☐
- Können Sie bitte noch einmal erklären: Was ist *Plural*?   Dialog ☐

2   **Wer sagt was? Was sagen beide? Kreuzen Sie an.**

		Teilnehmer/in	Lehrer/in
1	Wie heißt das auf Deutsch?	☐	☐
2	Sprechen Sie bitte nicht so schnell!	☐	☐
3	Ich habe eine Frage.	☐	☐
4	Wir machen weiter auf Seite 53 im Kursbuch.	☐	☐
5	Das verstehe ich noch nicht richtig.	☐	☐
6	Hausaufgabe ist die Nummer 4 im Arbeitsbuch.	☐	☐
7	Können Sie den Satz bitte an die Tafel schreiben?	☐	☐

🔊 3a
1.57

Hören Sie zu und lesen Sie dann den Dialog zu zweit.

- Samuel Matip.
- Hallo, Samuel, hier ist Igor.
- Hallo, Igor, wo warst du heute?
- Ich bin ein bisschen krank. Haben wir Hausaufgaben?
- Ja, im Arbeitsbuch die Übungen 1 und 2 auf Seite 25.
- Vielen Dank. Morgen komme ich wieder.
- Dann bis morgen und gute Besserung!
- Danke.

3b   **Variieren Sie den Dialog.**

A Hausaufgaben: Dialog im Arbeitsbuch hören, Seite 37
B Hausaufgaben: Arbeitsbuch: Seite 17, Übung 4–6
C Hausaufgaben: drei Sätze über die Wohnung schreiben
D Sie haben keine Hausaufgaben.

Drei in einer Reihe

Spielregeln

1 Zwei oder vier Personen spielen zusammen.
2 Sie brauchen neun Spielsteine, zum Beispiel Münzen.
3 Wählen Sie eine Aufgabe aus. Sie beantworten eine Frage richtig. Dann legen Sie eine Münze auf das Feld.
4 Haben Sie drei Felder in einer Reihe? Dann haben Sie gewonnen.

Zählen Sie bis zehn. 10 5 3 1 9 7 4 8 0 6 2 0	**Wie heißen die Farben?**	**Was passt nicht?** das Haus das Papier das Heft das Wörterbuch	**Wie ist Ihre Adresse?**
Ist das ein Stuhl?	**Wie heißt das Gegenteil?** groß ≠ ... kalt ≠ ... hell ≠ ...	**Welche Sprachen sprechen Sie?**	**Buchstabieren Sie Ihren Namen.** 
Was sind Sie von Beruf?	**Wie heißt der Plural?** das Buch das Foto der Lehrer der Tisch	**Woher kommen Sie?**	**Brauchen Sie einen Fernseher?**
Wie groß ist Ihre Wohnung?	**Was bedeuten die Abkürzungen?** Zi. Kü. EG	**Wie groß ist Ihre Familie?**	**Lesen Sie die Zahlen.** 597 143 865
Wie heißt der Singular? die Hefte die Häuser die Handys die Fenster	**Berufe. Ergänzen Sie.** der Arzt – die Ärztin der Friseur – die ... der Lehrer – die ... der Altenpfleger – die ...	**Nennen Sie drei Länder.** 	**Was passt? Ergänzen Sie.** die Tochter – der Sohn die Tante – der ... der Bruder – die ... der Großvater – ...

Der Tag und die Woche

1 grillen
2 ein Bild malen
3 tanzen
6 joggen
7 im Internet surfen
8 Fußball spielen
4 schwimmen
5 Musik hören

Sie lernen

- über Freizeit und Hobbys sprechen
- die Uhrzeit sagen
- einen Tagesablauf beschreiben
- einen Wochenplan beschreiben
- sich verabreden
- trennbare Verben
- Zeitangaben im Satz
- temporale Präpositionen

1 a 1.58 Ü1 Sehen Sie die Fotos an. Hören Sie die Geräusche und sagen Sie das Hobby.

1 b Was machen die Personen auf den Fotos? Sprechen Sie im Kurs.

> Foto 8: Der Mann spielt Fußball.

> Der Mann auf Foto 2 malt ein Bild.

2 Ü2 Was machen Sie gerne? Was machen Sie nicht gerne? Fragen und antworten Sie.

> Was ist Ihr Hobby?

> Was machen Sie gerne?

> Ich surfe gerne im Internet.

1 a
Ü3

Uhrzeiten. Fragen und antworten Sie.

neun Uhr

halb zehn

Viertel vor zehn

Viertel nach zehn

zwanzig nach zehn

fünf vor halb elf

fünf nach halb elf

zwanzig vor elf

Entschuldigen Sie, wie spät ist es?

Es ist neun Uhr.

1 b

Wie spät ist es? Ergänzen Sie die Reihen.

1 Es ist elf Uhr. Es ist fünf nach elf. Es ist zehn nach elf. Es ist …
2 Es ist zwölf Uhr. Es ist Viertel nach zwölf. Es ist halb eins. Es ist …
3 Es ist ein Uhr. Es ist halb zwei. Es ist …

2
1.59   Ü4

Hören Sie. Wie spät ist es jetzt? Kreuzen Sie an.

1 ☐ ☐   3 ☐ ☐

2 ☐ ☐   4 ☐ ☐

3 a
1.60   Ü5

Hören Sie den Dialog und lesen Sie mit.

● Entschuldigung, eine Frage: Wann beginnt der Kurs?
● Der Kurs beginnt um Viertel nach neun.
● Danke.

3 b

Ihr Deutschkurs. Fragen und antworten Sie.

1 Wann beginnt der Kurs?
2 Wann kommen Sie?
3 Um wie viel Uhr beginnt die Pause?
4 Wann endet die Pause?
5 Wann endet der Kurs?
6 Wann gehen Sie nach Hause?

Uhrzeiten
Wann?
Um wie viel Uhr?

Um acht Uhr.

Der Kurs beginnt um …

Ich komme um …

4a Uhrzeiten offiziell. Hören Sie und ordnen Sie die Fotos zu.

1.61

4b Ordnen Sie zu und lesen Sie die Sätze laut.

Der Zug fährt		zwanzig Uhr.
Das Konzert beginnt		fünf Uhr dreißig oder um siebzehn Uhr dreißig.
Der Radiowecker klingelt	um	vierzehn Uhr neunzehn.
Das Flugzeug startet		dreizehn Uhr fünfzig.
Die Parkzeit beginnt		sechs Uhr eins.

5 Uhrzeiten offiziell und nicht offiziell. Sprechen Sie die Uhrzeiten zu zweit wie im Beispiel.

Ü6

offiziell:

> Es ist acht Uhr dreißig.
> Es ist zwanzig Uhr dreißig.

nicht offiziell:

> Es ist halb neun.

6 Lesen Sie den Dialog und variieren Sie dann die Wörter in Grün.

Ü7

- Wann beginnt der Englischkurs?
- Um 18 Uhr.
- Um 18 Uhr? Also um sechs?
  Und bis wann geht der Kurs?
- Bis 20 Uhr.
- Der Kurs geht also von sechs bis acht?
- Ja, genau.

Uhrzeiten	
Wann ...?	**Um** 18.00 Uhr.
Bis wann ...?	**Bis** 20.00 Uhr.
Von wann bis wann ...?	**Von** sechs **bis** acht.

(das) Fußballspiel	15.30–17.15 Uhr	(der) Computer-Kurs	19.00–21.00 Uhr
(der) Englischkurs	18.00–20.00 Uhr	(die) Tanzparty	20.00–23.30 Uhr
(der) Deutschkurs	18.15–21.00 Uhr	(der) Krimi	21.15–22.00 Uhr

1a Ein ganz normaler Samstag bei Frau Costa. Ordnen Sie die Bilder den Sätzen zu.

Ü8-9

1 ☐ Um halb zwölf <mark>ruft</mark> sie eine Freundin <mark>an</mark>.   *anrufen*........................

2 ☐ Der Film im Kino fängt um neun Uhr an.   ....

3 ☐ Um halb sieben sieht sie fern.   ....

4 ☒ Frau Costa steht um halb neun auf.   ....

5 ☐ Sie räumt ihre Küche auf.   ....

6 ☐ Sie kauft Lebensmittel ein.   ....

7 ☐ Sie nimmt eine Zeitung mit.   ....

8 ☐ Um Viertel nach acht geht Frau Costa aus.   ....

9 ☐ Zwei Freundinnen kommen mit.   ....

10 ☐ Der Film hört spät auf.   ....

1b Markieren Sie die Verben in den Sätzen in 1a. Ordnen Sie dann die Infinitive zu.

> anfangen • aufhören • aufstehen • mitkommen • aufräumen •
> fernsehen • ~~anrufen~~ • einkaufen • mitnehmen • ausgehen

1c Schreiben Sie Sätze wie im Beispiel.

1	Frau Costa	*steht*............ um halb neun Uhr	*auf*............
2	Sie	.... Lebensmittel	....
3	Um Viertel nach zwei	.... sie die Küche	....
4	Sie	.... um halb sieben	....
5	Sie	.... um halb zwölf eine Freundin	....

2 Wann macht Frau Costa was? Fragen und antworten Sie.

Ü10-11

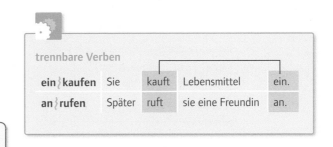

> Wann steht Frau Costa auf?

> Sie steht um halb neun Uhr auf.

trennbare Verben

| ein·kaufen | Sie | kauft | Lebensmittel | ein. |
| an·rufen | Später | ruft | sie eine Freundin | an. |

3 Der Deutschkurs. Schreiben Sie Sätze.

1 ausfallen – der Unterricht – heute
2 aufhören – wir – um zwölf Uhr
3 mitnehmen – jeden Tag – ich – die Bücher
4 anfangen – um neun Uhr – wir
5 übermorgen – stattfinden – der Kurs

> Der Unterricht fällt heute aus.

4a Was machen Sie am Wochenende? Erzählen Sie.

Ü12

wegfahren

chillen

die Eltern anrufen

einkaufen gehen

einen Ausflug machen

spazieren gehen

> Ich gehe oft einkaufen.
> Ich auch.
> Ich fahre am Wochenende weg.
> Wohin?
> Ich fahre nach ...

einkaufen gehen

Ich gehe am Wochenende oft einkaufen.

4b Was machen Sie jeden Tag? Schreiben Sie einen Text.

> Ich stehe um sieben Uhr auf. Dann ...

1 a Ü13-15 **Wann lernt Frau Joona Deutsch? Fragen und antworten Sie.**

> Wann lernt Frau Joona Deutsch?

> Wann geht sie zum Arzt?

> Am Montag von neun bis elf Uhr.

> Am Dienstag um ...

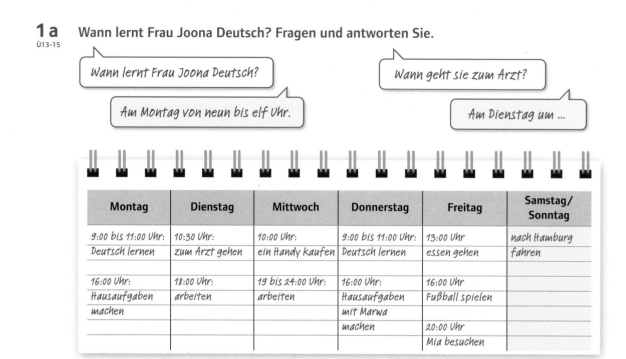

Montag	Dienstag	Mittwoch	Donnerstag	Freitag	Samstag/ Sonntag
9:00 bis 11:00 Uhr: Deutsch lernen	10:30 Uhr: zum Arzt gehen	10:00 Uhr: ein Handy kaufen	9:00 bis 11:00 Uhr: Deutsch lernen	13:00 Uhr essen gehen	nach Hamburg fahren
16:00 Uhr: Hausaufgaben machen	18:00 Uhr: arbeiten	19 bis 24:00 Uhr: arbeiten	16:00 Uhr: Hausaufgaben mit Marwa machen	16:00 Uhr Fußball spielen 20:00 Uhr Mia besuchen	

1 b **Der Wochenplan von Frau Joona. Schreiben Sie.**

am Morgen   am Vormittag   am Mittag   am Nachmittag   am Abend   in der Nacht

> Montag: Am Vormittag lernt Frau Joona Deutsch. Am Nachmittag ...
> Dienstag: ...

2 1.62 Ü16-17 **Hören Sie den Text und markieren Sie: Richtig oder falsch?**

           R   F

1 Michael arbeitet jeden Tag in der Woche. ☐ ☐
2 Am Montag repariert Michael sein Fahrrad. ☐ ☐
3 Am Dienstagvormittag kommen Freunde. ☐ ☐
4 Am Wochenende kauft er eine Fahrkarte. ☐ ☐
5 Er besucht am Wochenende seine Schwester. ☐ ☐

> **!** am Montag + Vormittag = am Montagvormittag
>
> am Freitag + Abend = am Freitagabend

3 a Ü18 **Schreiben Sie Ihren Wochenplan. Sie finden einen leeren Wochenplan auf Seite 83.**

3 b **Fragen Sie Ihren Partner / Ihre Partnerin und machen Sie Notizen.**

> Was machst du am Donnerstag?

> Was machst du am Dienstagabend?

3 c **Berichten Sie über Ihren Lernpartner / Ihre Lernpartnerin im Kurs.**

D Hast du Zeit?

🔊 **1 a** **Eine Verabredung. Hören Sie den Dialog und beantworten Sie die Fragen.**
1.63 Ü19

    1 Was macht Sandip am Dienstag?

    2 Wann spielen Sandip und Leonidas Schach?

Leonidas Kolidis

Sandip Kumar

1 b **Hören Sie noch einmal und ordnen Sie den Dialog.**

☐ Leonidas: Ja, das geht. Um drei Uhr habe ich Zeit.

☐ Leonidas: Bis Mittwoch. Tschüss!

☐ Leonidas: Hallo Sandip, hier ist Leonidas. Spielen wir zusammen Schach? Vielleicht am Dienstagnachmittag?

☐ Leonidas: Gut, dann komme ich um fünf. Ich bringe mein Schachspiel mit.

☐ Sandip: Sandip Kumar, ja bitte?

☐ Sandip: Ja, gerne, aber nicht am Dienstag, da machen wir einen Ausflug nach Stuttgart. Hast du am Mittwoch Zeit?

☐ Sandip: Sehr gut. Dann bis Mittwoch.

☐ Sandip: Geht es auch später? Am Mittwochnachmittag habe ich einen Zahnarzttermin.

🔊 **2 a** **Hören und lesen Sie die Dialoge.**
1.64 Ü20-22

● Gehen wir heute Abend tanzen?
   Was meinst du?

● Nein, ich habe keine Lust.

● Gehen wir am Samstag ins Kino?

● Sehr gerne.

● Hast du am Mittwoch Zeit?

● Nein, das geht nicht.
   Wie ist es am Freitag?

● Ja, das geht.

● Hast du heute Abend Zeit?

● Nein, leider nicht.

2 b **Schreiben Sie die Tabelle ins Heft und ergänzen Sie die Fragen und Antworten aus 2a.**

Frage	Antwort 😊	Antwort 😐	Antwort ☹
Spielen wir zusammen Schach?	Ja, gerne.	Ja, aber nicht am Dienstag. Geht es auch später?	Ich habe leider keine Zeit.

2 c **Sammeln Sie weitere Situationen und spielen Sie Dialoge.**

● zusammen kochen – Samstag

● keine Zeit – nach Nürnberg fahren

● ausgehen

● Samstagabend?

Wörter sprechen

1a Ordnen Sie die Tageszeiten den Uhren zu und lesen Sie Tageszeiten und Uhrzeiten laut.

> am Nachmittag • am Mittag • in der Nacht • am Morgen •
> am Vormittag • am Abend

....

1b Was machen Sie gerne wann? Erzählen Sie.

> Deutsch lernen • fernsehen • schlafen • arbeiten •
> spazieren gehen • einkaufen gehen

> *Am Nachmittag gehe ich gerne spazieren.*

Minidialoge sprechen

2a Arbeiten Sie zu zweit. Partner/in A schreibt einen Wochenplan für Georg, Partner/in B
für Dana. Ergänzen Sie die Aktivitäten und Uhrzeiten. Den Plan für Dana finden Sie auf
Seite 84.

> schwimmen gehen • Deutsch lernen • Verwandte besuchen •
> Hausaufgaben machen • Freunde treffen • essen gehen • nach München fahren

Der Wochenplan für Georg:

Montag	Dienstag	Mittwoch	Donnerstag	Freitag	Samstag/ Sonntag
			16:00 Uhr: Verwandte besuchen		

2b Fragen Sie Ihren Partner / Ihre Partnerin, tragen Sie seine/ihre Antworten in den
Kalender ein und vergleichen Sie.

> *Wann besucht Georg Verwandte?*

> *Am Donnerstagnachmittag um 16.00 Uhr.*

> *Wann besucht Dana Verwandte?*

> *Am Freitagabend.*

Grammatik sprechen

3a Sätze verlängern. Arbeiten Sie zu zweit. Sprechen Sie die Sätze abwechselnd wie im Beispiel.

1 einkaufen – Justin – am Samstag – Lebensmittel

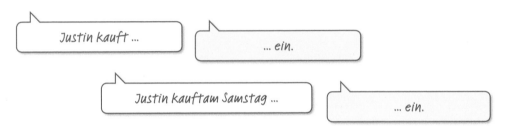

> *Justin kauft ein.*

> *Justin kauft am Samstag ein.*

> *Justin kauft am Samstag Lebensmittel ein.*

2 anrufen – ich – Martin – morgen
3 aufstehen – Ulrike – am Morgen – um 7.00 Uhr
4 ausgehen – wir – am Wochenende – gerne

3b Sprechen Sie die Sätze noch einmal zu zweit wie im Beispiel.

> *Justin kauft ...*

> *... ein.*

> *Justin kauft am Samstag ...*

> *... ein.*

Flüssig sprechen

🔊 1.65 **4** Hören Sie zu und sprechen Sie nach.

VIDEO

Clip 07
Seite 96

Dialogtraining

🔊 1.66 **5a** Hören Sie den Dialog. Ordnen Sie dann die Sätze und schreiben Sie den Dialog ins Heft.

> Dann ist draußen alles noch ganz ruhig. • Furchtbar! • Ich gehe joggen. Kommst du mit? • Oh, wie schön! Aber nein. Nein danke. • Um sechs Uhr. • Wann stehst du morgen auf? • Wie bitte? Um sechs Uhr?!

5b Wer sagt was? Markieren Sie mit Farben: Mutter (rot) oder Tochter (gelb). Lesen Sie dann den Dialog zu zweit.

5c Sprechen Sie den Dialog dreimal: als Vater und Sohn, als Freund und Freundin, als Bruder und Schwester.

Gewusst wie

Kommunikation

über Freizeit und Hobbys sprechen

- Was ist Ihr Hobby?
- Was machen Sie gerne?

- Ich tanze gerne.
- Ich sehe nicht gerne fern.
- Mein Hobby ist Tanzen.

die Uhrzeit sagen

- Wie spät ist es? / Wie viel Uhr ist es?
- Es ist jetzt Viertel vor sieben.

- Wann fängt der Film an?
- Um zwanzig Uhr dreißig.

einen Tagesablauf beschreiben

Am Vormittag habe ich einen Deutschkurs. Er fängt um neun an und geht bis halb eins. Am Nachmittag gehe ich einkaufen.

einen Wochenplan beschreiben

Am Montag arbeite ich lange. Am Dienstag habe ich einen Sprachkurs. Am Mittwoch …

sich verabreden / auf Fragen positiv oder negativ reagieren

- Gehen wir zusammen schwimmen?
- Sehr gerne. Wann?
- Am Dienstag?
- Ja, gerne.

- Hast du heute Abend Zeit?
- Nein, leider nicht. Geht es auch morgen?
- Ja, das geht.

Grammatik

trennbare Verben

mit⟩bringen	Sie		bringt	eine Zeitung	mit.
auf⟩stehen	Ich		stehe	um sieben Uhr	auf.
ein⟩kaufen	Am Nachmittag		kauft	sie Lebensmittel	ein.

gehen + Infinitiv

einkaufen gehen		Er		geht	später		einkaufen.

Zeitangaben im Satz

Am Montag	spiele	ich	Fußball.
Ich	spiele	am Montag	Fußball.
Um halb sieben	fängt	der Film	an.
Der Film	fängt	um halb sieben	an.

temporale Präpositionen

⊙	**um**	Der Film beginnt **um** 20 Uhr.
→	**bis**	Er geht **bis** 22 Uhr.
↔	**von … bis**	Der Film geht **von** 20 Uhr **bis** 22 Uhr.

Sie lernen

- Einkaufsdialoge führen
- sagen, was man gerne isst und trinkt
- einen Text über Essgewohnheiten in Deutschland verstehen
- Imperativ
- das unpersönliche Pronomen *man*

1 **Lebensmittel. Was ist was? Ordnen Sie zu.**
Ü1

☐ Äpfel	☐ Kaffee	☐ Salat	
☐ Bananen	☐ Kartoffeln	☐ Schokolade	
☐ Brot	☐ Käse	☐ Tee	
☐ Butter	☐ Milch	☐ Fisch	☐ Wein
☐ Hähnchen	☐ Nudeln	☐ Tomaten	☐ Wurst
☐ Joghurt	☐ Reis	☐ Wasser	☐ Zwiebeln

2 a **Was essen Sie wie oft? Notieren Sie die Lebensmittel auf einem Zettel.**
Ü2

nie   selten   manchmal   oft

◄──────┼──────────┼──────────┼──────────┼──────►

.... *Brot,* ....

2 b **Mischen Sie die Zettel, verteilen Sie sie und erzählen Sie. Wer ist das?**

Meine Person isst nur selten Fleisch.
Sie isst oft Obst, sie isst täglich Obst.

Das ist Anne.

A Der Einkaufszettel

1a Hören Sie und kreuzen Sie an: Was braucht Familie Kroos?

1.67 Ü4-7

Haben wir noch Milch?

☐ Milch
☐ Butter
☐ Eier
☐ Zucker
☐ Salat
☐ Brot
☐ Orangen
☐ Hähnchen
☐ Äpfel
☐ Reis
☐ Mais
☐ Kaugummi
☐ Schokolade

1b Hören Sie das Gespräch noch einmal. Was passt zusammen? Verbinden Sie.

1 Kauf   A die Eier nicht!
2 Vergiss   B doch zum Bäcker!
3 Hol   C doch bitte Butter!
4 Geh   D das Brot bitte nicht im Supermarkt!

1 Kommt,   A Laura und Marie, wir gehen!
2 Wartet   B auch noch Kaugummis mit!
3 Vergesst   C noch einen Moment!
4 Bringt   D den Einkaufszettel nicht!

Imperativ informell

du | (D̶u̶ gehs̶t̶ zum Bäcker.)
Geh (doch) zum Bäcker!
(Du vergisst die Eier nicht.)
.... **die Eier nicht!**

ihr | (I̶h̶r̶ holt zwei Dosen Mais.)
Holt zwei Dosen Mais!
(Ihr bringt Kaugummis mit.)
.... **Kaugummis** ....!

1c Lesen Sie die Sätze laut.

1d Ergänzen Sie den Grammatikkasten.

2 Sätze verlängern. Sprechen Sie im Kurs wie im Beispiel.

Ü8

Ich gehe einkaufen.

Kauf doch bitte Brot und Milch!

Kauf doch bitte Brot!

Kauf doch bitte Brot, Milch und ...

1 Ich gehe einkaufen.
   Kauf doch bitte Brot!
   Kauf doch bitte Brot und ...!

2 Wir gehen einkaufen.
   Bringt bitte Reis mit!
   Bringt bitte Reis und ... mit!

3 Ich habe Durst.
   Trink doch einen Apfelsaft!
   Trink einen Apfelsaft oder ...!

4 Wir haben Hunger.
   Esst doch ein Brot!
   Esst ein Brot oder ...!

🔊 1.68   **3 a** Ü5-8   **Hören Sie die Ansagen im Supermarkt und ergänzen Sie die Lebensmittel. Lesen Sie dann die Anzeigen vor.**

1 Sonderangebot: Früchte aus Südamerika, zum Beispiel .... , das Kilo 1,20 €. Kaufen Sie Früchte aus Südamerika!

2 Nur heute: .... im Angebot. Nehmen Sie drei Becher und bezahlen Sie zwei!

3 b   **Lesen Sie den Grammatikkasten und schreiben Sie Sätze im Imperativ.**

1 kaufen / Birnen aus Deutschland
2 probieren / Salami aus Frankreich
3 essen / Oliven aus Spanien
4 trinken / Wein aus Italien

Imperativ formell

Sie   (Sie kaufen Schokolade.)
Kaufen Sie Schokolade.

3 c   **Schreiben Sie Ansagen für den Supermarkt und lesen Sie sie im Kurs laut vor.**

Nehmen Sie …   Probieren Sie …   Kaufen Sie …

4 Ü9-11   **Verpackungen. Ordnen Sie die Lebensmittel zu.**

Joghurt • Wasser •
Schokolade • Butter •
Erbsen • Spaghetti •
Wein • Marmelade •
Chips • Wurst

eine Packung   ein Becher   eine Dose   eine Flasche

....

vier Scheiben   eine Tafel   ein Kasten   eine Tüte   ein Stück   ein Glas

....

5   **Einkaufszettel. Was brauchen Sie? Arbeiten Sie zu zweit und berichten Sie.**

A … für ein Picknick am Wochenende?
B … für ein Abendessen mit Freunden?

Picknick

- Essen: 10 Brötchen, 400 g Wurst, …
- Getränke: Bier, Saft, …

❗ Mengenangaben

1 g	1 Gramm
1 kg	1 Kilogramm
1 Pfd.	1 Pfund (= 500 g)
1 l	1 Liter

B Einkaufen

1 a Wo kaufen Sie was? Fragen und antworten Sie.
Ü12-15

> Wurst • Fisch • Obst • Gemüse • Wein • Käse • Salat •
> Schokolade • Brot • Kaugummi • Brötchen • Hähnchen

☐ am Kiosk

☐ im Supermarkt

☐ in der Metzgerei

☐ auf dem Markt

☐ in der Bäckerei

☐ an der Tankstelle

Wo kaufen Sie Kaugummis?

Kaugummis kaufe ich an der Tankstelle.

1 b Hören Sie. Zu welchem Foto passt der Dialog? Kreuzen Sie an.
1.69

1 c Schreiben Sie den Dialog. Hören Sie dann noch einmal und kontrollieren Sie mit der CD.

Verkäuferin
- Das macht zusammen 7,70 Euro. Haben Sie es passend?
- Dann bekommen Sie 2,30 Euro zurück.
- Das Kilo kostet 2,90 Euro.
- ~~Guten Tag, was möchten Sie?~~
- Drei Kilo Kartoffeln, bitte sehr. Haben Sie noch einen Wunsch?
- Gerne. – Möchten Sie noch etwas?

Kunde
- Dann nehme ich ein Kilo.
- Einen Moment … Nein, leider nicht. Ich habe nur zehn Euro.
- Ich hätte gerne drei Kilo Kartoffeln.
- Ja, was kosten die Tomaten?
- Danke, das ist alles.

Verkäuferin: Guten Tag, was möchten Sie?
Kunde: Ich …
Verkäuferin: …

möchten	
ich	möchte
du	möchtest
er/es/sie	**möchte**
wir	möchten
ihr	möchtet
sie/Sie	möchten

1 d Lesen Sie den Dialog zu zweit.

2a
Ü16

Preise. Lesen Sie die Preise laut.

1,30 €   1,80 €   3,99 €   0,59 €

Preise	
1,99 €	ein Euro neunundneunzig eins neunundneunzig
0,85 €	fünfundachtzig Cent

2b
1.70

Welcher Preis ist richtig?
Hören Sie und kreuzen Sie an.

1 Ein Kilo Tomaten kostet ☐ 1,60 €. ☐ 1,80 €.
2 Eine Flasche Wein kostet ☐ 4,29 €. ☐ 4,99 €.
3 Ein Stück Butter kostet ☐ 0,89 €. ☐ 0,99 €.
   Ein Liter Milch kostet ☐ 1,25 €. ☐ 1,35 €.

3a
Ü17-18

Spielen Sie Einkaufsdialoge.

Auf dem Markt

HEUTE

Äpfel 2,00/kg
Kartoffeln 1,30/kg
Zwiebeln 1,30/Pfund

1 Kilo Äpfel
2 Kilo Kartoffeln
1 Pfund Zwiebeln

In der Metzgerei

HEUTE

Schinken 1,80/100 g
Fleischwurst 1,70/100 g
Hackfleisch 9,90/kg

200 g Schinken
100 g Fleischwurst
300 g Hackfleisch

In der Bäckerei

HEUTE

Brötchen 0,30/St.
Weißbrot 1,80/St.
Käsekuchen 1,60/St.

4 Brötchen
1 Weißbrot
Käsekuchen
(2 Stück)

3b

Schreiben Sie mit Ihrem Partner / Ihrer Partnerin einen Einkaufszettel und spielen Sie
die Einkaufsdialoge.

A Sie möchten einen Salat machen.
B Sie möchten eine Spezialität aus Ihrem Land
   machen.

Was brauchen wir?

Wir brauchen ...

C Das mag ich

1a Was mag Susanna? Erzählen Sie.
Ü19-21

mögen	
ich	mag
du	magst
er/es/sie	mag
wir	mögen
ihr	mögt
sie/Sie	mögen

> Susanna mag Wurst, aber sie mag keinen Käse.

1b Was isst/trinkt sie nicht gerne? Variieren Sie die Sätze.

> Susanna mag keinen Käse.

> Sie isst nicht gerne Käse.

kein- und *nicht*
Ich mag **keinen Kaffee**.
(*kein-* + Nomen)
Ich trinke **nicht** gerne Kaffee.

2a Was essen oder trinken Sie nicht so gerne?
Ü22   Was mögen Sie? Machen Sie eine Liste.

Das mag ich.	Das esse/trinke ich nicht (so gerne).
Schokolade	Bier

2b Fragen und antworten Sie im Kurs.

sagen, was man gerne isst und trinkt
Fragen
Was magst du?
Was isst du gerne / nicht gerne?
Isst du gerne Schokolade?
Magst du Käse?

Antworten
Ich mag …
Ich esse gerne … / nicht gerne …
Ich trinke gerne … / nicht gerne …
Ja, … / Nein, …

1 a Lesen Sie den Blog und ordnen Sie zu.
Ü23

> Frühstück • Mittagessen • Abendessen • Kaffee und Kuchen

www.essen-in-deutschland.de/blogs

DEUTSCHLAND-BLOG

Essenszeiten in Deutschland *von Anna Maria*

Man frühstückt in Deutschland oft zwischen 7.00 und 8.00 Uhr, am Wochenende auch später. Zum Frühstück trinkt man Kaffee oder Tee, Kinder trinken oft Milch oder Kakao. Viele Deutsche essen Brot mit Honig, Marmelade, auch Käse oder Wurst. Auch Müsli mit Obst ist zum Frühstück beliebt.

Das Mittagessen ist in Deutschland warm und man isst es oft zwischen 12.00 und 14.00 Uhr. Viele Leute essen in der Kantine oder an einem Imbiss und Schüler essen oft in der Schulkantine. Zum Mittagessen gibt es zum Beispiel Suppe, Spaghetti oder Fleisch mit Kartoffeln und Salat. Zum Nachtisch isst man gerne Pudding oder Eis.

Abendessen gibt es in Deutschland oft um 18.00 oder 19.00 Uhr und es ist oft kalt. Es gibt zum Beispiel Brot, eine Käse- und Wurstplatte, Tomaten und Gurken, manchmal auch eine Dose Fisch. Viele Deutsche trinken zum Abendessen gerne Bier oder auch Tee. Kinder bekommen oft Apfelsaft oder Orangensaft.

Am Sonntagnachmittag besuchen viele Leute in Deutschland gerne Freunde und Verwandte. Dann sitzt man zusammen, trinkt Kaffee und isst Kuchen mit Sahne. Manchmal backt man den Kuchen selbst und manchmal kauft man den Kuchen in der Bäckerei oder Konditorei.

Anna Maria

....

1 b Lesen Sie noch einmal und beantworten Sie die Fragen.

1 Was isst und trinkt man in Deutschland oft zum Frühstück?

2 Was essen die Leute zum Mittagessen?

3 Was essen die Deutschen am Abend?

4 Wann isst man in Deutschland oft Kuchen?

> *man* (= viele Leute oder alle)
>
> er/es/
> sie/**man**   isst/trinkt

2 Was essen Sie zum Frühstück, zum Mittagessen und zum Abendessen? Was isst man in
Ü24 Ihrem Heimatland? Fragen und antworten Sie.

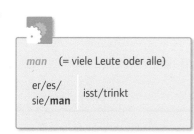

Zum Frühstück esse ich …   *In Spanien isst man oft …*

Wörter sprechen

1 Was kauft Herr Paoletti? Was kauft Frau Luis? Arbeiten Sie zu zweit. Den Einkaufs-
wagen von Frau Luis (Partner/in B) finden Sie auf Seite 85. Fragen und antworten Sie.

Minidialoge sprechen

2 Bestellen Sie im Café.

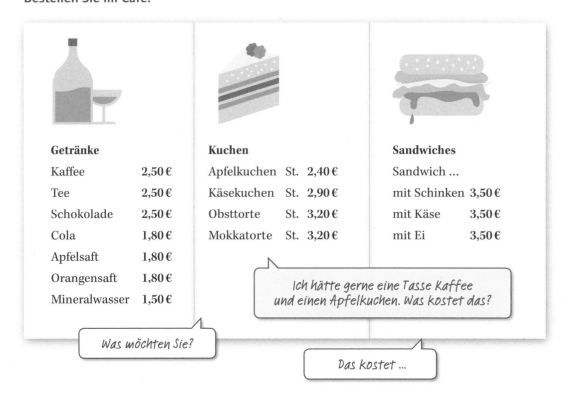

Getränke	
Kaffee	2,50 €
Tee	2,50 €
Schokolade	2,50 €
Cola	1,80 €
Apfelsaft	1,80 €
Orangensaft	1,80 €
Mineralwasser	1,50 €

Kuchen		
Apfelkuchen	St.	2,40 €
Käsekuchen	St.	2,90 €
Obsttorte	St.	3,20 €
Mokkatorte	St.	3,20 €

Sandwiches	
Sandwich ...	
mit Schinken	3,50 €
mit Käse	3,50 €
mit Ei	3,50 €

Grammatik sprechen

3 Geben Sie Tipps.

1 Ich habe Durst.   trinken – einen Apfelsaft
2 Wir haben keinen Kaffee.   gehen – einkaufen
3 Ich mag keinen Tee.   trinken – Kaffee
4 Ich habe Hunger.   essen – ein Müsli
5 Ich hatte kein Mittagessen.   kochen – eine Suppe
6 Heute ist kein Markt.   gehen – zum Supermarkt

> Ich habe Durst.

> Dann trink doch einen Apfelsaft!

Flüssig sprechen

🔊 1.71 **4** Hören Sie zu und sprechen Sie nach.

VIDEOClip 08 Seite 97

Dialogtraining

🔊 1.72 **5a** Hören Sie. Was braucht Daniel? Kreuzen Sie an.

☐ Reis   ☐ Tomaten   ☐ Butter
☐ Gurke   ☐ Zwiebeln   ☐ Chips
☐ Kuchen   ☐ Bier   ☐ Joghurt
☐ Wasser   ☐ Milch   ☐ Brot
☐ Hackfleisch   ☐ Saft   ☐ Orangen

5b Hören Sie noch einmal und lesen Sie den Dialog mit.

● Guten Tag, was möchten Sie?
● Guten Tag! Ich hätte gerne ein Kilo Tomaten.
● Ein Kilo Tomaten … Haben Sie sonst noch einen Wunsch?
● Ja, zwei Orangen.
● Sehr gern! … Sonst noch etwas?
● Ja, ich brauche noch zehn Zwiebeln. Und das ist dann alles.
● Vielen Dank. Das macht zusammen 4 Euro und 3 Cent.
● Ich habe es leider nicht passend.
● Haben Sie vielleicht 3 Cent?
● Einen Moment … Ich habe nur 5 Cent.
● Das ist auch gut. Danke! So – und dann bekommen Sie 16 Euro und 2 Cent zurück.

5c Sprechen Sie den Dialog zu zweit: zuerst ruhig, dann laut, dann sehr laut.

Gewusst wie

Kommunikation

Einkaufsdialoge führen

Verkäufer/Verkäuferin
- Was möchten Sie?
- 1 Pfund kostet 1,20 €.
- Sonst noch etwas?
- Das macht zusammen 12 €.
- Haben Sie es passend?

Kunde/Kundin
- Ich hätte gerne zwei Kilo Tomaten.
- Was kosten die Tomaten?
- Nein danke, das ist alles.
- Was macht das?
- Nein, leider nicht.

sagen, was man isst und trinkt

Ich esse oft Reis. Ich esse selten Kartoffeln. Ich esse nie Fleisch.

Ich mag keinen Wein. Ich trinke gerne Tee, aber ich trinke nicht gerne Kaffee.

Zum Frühstück esse ich manchmal Müsli. Zum Mittagessen esse ich gerne Spaghetti.

Zum Abendessen trinke ich gerne ein Bier.

In Deutschland isst man zum Frühstück oft Brot mit Marmelade oder Brot mit Käse oder Wurst.

Grammatik

Imperativ

		du-Form	ihr-Form	Sie-Form
gehen	~~du~~ geh~~st~~ …	Geh …	Geht …	Gehen Sie …
mitbringen	~~du~~ bring~~st~~ … mit	Bring … mit	Bringt … mit	Bringen Sie … mit
vergessen	~~du~~ vergiss~~t~~	Vergiss …	Vergesst …	Vergessen Sie …
(!) fahren	~~du~~ fähr~~st~~	**Fa**hr …	Fahrt …	Fahren Sie …
(!) sein	~~du bist~~	**Sei** …	Seid …	**Seien** Sie …

gerne, nicht gerne und kein

Ich mag Käse, aber ich mag **keine** Wurst.
Ich esse **nicht gerne** Wurst.
Ich trinke **gerne** Tee
Ich trinke **nicht gerne** Kaffee.

unpersönliches Pronomen man

man = viele Leute oder alle
Das Verb steht im Singular.

er/sie/es/**man**	isst/trinkt

In Deutschland isst **man** das Mittagessen oft zwischen 12.00 und 14.00 Uhr.

mögen und möchten

	mögen	(möchten)
ich	**mag**	möchte
du	**magst**	möchtest
er/es/sie/man	**mag**	möcht**e**
wir	mögen	möchten
ihr	mögt	möchtet
sie/Sie	mögen	möchten

- Mögen Sie Käse?
- Ja, ich mag Käse, ich esse gerne Käse.
- Möchten Sie ein Stück Käse?
- Danke, nein. Jetzt möchte ich keinen Käse. Ich habe keinen Hunger.

Arbeit und Beruf

Sie lernen

- über Berufe und Arbeit sprechen
- ein Überweisungsformular ausfüllen
- einen Tagesablauf beschreiben
- die Modalverben *können, müssen, wollen*
- Präpositionen mit Dativ

🔊 **1** Sehen Sie das Bild an. Hören Sie die Geräusche und sagen
1.73 Ü1 Sie den Beruf.

2 Wer arbeitet wo? Fragen und antworten Sie.
Ü2

> auf der Baustelle • in der Werkstatt •
> in der Bank • im Restaurant •
> im Haus • im Büro • in der Wohnung
> von Patienten

> *Wo arbeitet der Ingenieur?*

> *Er arbeitet auf der Baustelle.*

3 Was sind Sie von Beruf? Arbeiten Sie mit dem Wörterbuch und berichten Sie.

> *Ich arbeite als Kellner.*

> *Ich bin Krankenpfleger von Beruf.*
> *Ich arbeite im Krankenhaus.*

> *Ich suche eine Arbeit als ....*

A Das muss ich machen

1 a Lesen Sie die Magazintexte. Ergänzen Sie dann die Tabelle auf Seite 73.

Ü3

Treffpunkt Arbeitsplatz

Vier Menschen stellen ihren Arbeitsplatz in Deutschland vor.

Sebastian Suazo, 36

Ich bin Krankenpfleger. Ich bereite Operationen vor, unterstütze die Ärzte bei den Operationen und muss nach den Operationen aufräumen. Meine Frau ist Krankenschwester. Sie hat Schichtdienst und arbeitet immer eine Woche am Vormittag und dann eine Woche am Nachmittag. Manchmal hat sie auch Nachtschicht und sie muss oft am Wochenende arbeiten. Ich habe keinen Schichtdienst. Ich arbeite immer von 7.30 bis 16.00 Uhr.

Ich bin Buchhalter von Beruf, aber ich kann noch nicht so gut Deutsch und deshalb kann ich keine Stelle als Buchhalter finden. Jetzt arbeite ich in einem Restaurant als Kellner. Ich arbeite meistens am Abend ab 17.00 Uhr. Ich bereite die Getränke für die Gäste vor und dann bringe ich die Getränke. Leider verdiene ich nicht viel und die Arbeit ist anstrengend. Ich will auch mehr verdienen und will jetzt eine andere Arbeit suchen.

Igor Alexandrov, 41

Martina Wagner, 34

Ich bin Bankkauffrau und arbeite bei der Volksbank. Meine Arbeitszeit ist am Montag, Dienstag und Freitag von 9.00 bis 17.00 Uhr, am Donnerstag bis 18.00 Uhr. Oft muss ich auch länger bleiben. Am Mittwoch haben wir nur am Vormittag bis 12.30 Uhr geöffnet. Ich habe viel Kontakt mit den Kunden: Ich berate die Kunden, ich wechsle Geld und ich helfe bei Problemen mit Überweisungen. Ich kontrolliere die Kasse und muss Formulare bearbeiten und unterschreiben.

Ich bin Sekretärin bei der Sprachschule Becker. Ich mache die Kurslisten und nehme die Anmeldungen an. Die Teilnehmer haben viele Fragen: Sie wollen die Kurstermine und die Preise wissen. Viele können noch nicht so gut Deutsch verstehen. Dann muss ich sehr langsam sprechen und viel erklären. Ich kann auch Englisch sprechen. Ich arbeite von 9.00 bis 16.00 Uhr, am Samstag habe ich frei. Das ist gut, denn am Wochenende will ich nicht arbeiten.

Helene Deck, 43

12   Info Berufe 2015

	Herr Suazo	Herr Alexandrov	Frau Stein	Frau Deck
Beruf	Krankenpfleger			
Aufgaben		Getränke bringen	Geld wechseln	
Arbeitszeit				Montag–Freitag, 9–16 Uhr
Arbeitsort	Krankenhaus			

1 b Was? Wo? Wann? – Notieren Sie Fragen. Fragen und antworten Sie dann.

Was macht Herr Suazo?

Wann arbeitet Frau Deck?

Wo arbeitet Frau Wagner?

Er bereitet Operationen vor.

Sie arbeitet bei ...

1 c Was sagt Frau Deck? Lesen Sie den Text noch einmal und ergänzen Sie die Sätze.

1 Die Teilnehmer .... die Kurstermine ....
2 Viele .... noch nicht so gut Deutsch ....
3 Ich .... sehr langsam ....
2 Ich .... auch Englisch ....
3 Am Wochenende .... ich nicht ....

2 *Können, wollen* oder *müssen*? Ergänzen Sie die Sätze.

kann • kann • muss • muss • will • will

1 Er hat Hunger und .... essen, aber er .... zuerst kochen.

2 Er .... gut Autos reparieren.

3 Sie .... noch schlafen, aber sie .... heute nicht lange schlafen. Sie .... früh aufstehen.

können
1. Ich kann Englisch (sprechen).
2. Ich kann heute Abend kommen. Ich habe Zeit.

3 Markieren Sie die Formen von *können, müssen* und *wollen* in den Texten auf Seite 72.
Ü5-11 Ergänzen Sie dann die Tabelle.

Modalverben	können	müssen	wollen
ich			
du	kannst	musst	willst
er/es/sie/man	kann		will
wir	können	müssen	wollen
ihr	könnt	müsst	wollt
sie/Sie		müssen	

4 Sätze verlängern. Sprechen Sie die Sätze im Kurs.

Er muss arbeiten.

Er muss manchmal am Wochenende viel arbeiten.

Er muss manchmal arbeiten.

Er muss manchmal am Wochenende arbeiten.

1 arbeiten   Ich muss …   oft • alleine • am Computer
2 einkaufen   Wir wollen …   morgen • auf dem Markt • Obst und Gemüse
3 tanzen   Sie kann …   noch nicht • gut • Walzer

5 Ihr Beruf. Was ist für Sie wichtig? Schreiben Sie Sätze und erzählen Sie dann.
Ü12-15

Ich will nicht zu Hause arbeiten.   Ich kann gut …   Ich muss oft …

über Beruf und Arbeit sprechen

im Team arbeiten	mit den Händen arbeiten	viel reisen
um 6.00 Uhr morgens aufstehen	auch am Abend arbeiten	draußen/drinnen arbeiten
viel verdienen	zu Hause arbeiten	im Büro arbeiten
am Wochenende arbeiten	viele Kontakte haben	am Computer arbeiten
alleine arbeiten	Karriere machen	viel schreiben

B Rund ums Geld

1 Sehen Sie die Fotos an und ordnen Sie die Wörter zu.
Ü16

A der Geldautomat **D** der Kontoauszug

B die EC-Karte **E** die IBAN

C die Kontonummer **F** das Überweisungsformular

2 a Hören Sie das Telefongespräch und kreuzen Sie an: Richtig oder falsch?
1.74 Ü17

		R	F
1	Herr Beeger telefoniert mit der Bank.	☐	☐
2	Er will den Mitgliedsbeitrag für den Basketballverein überweisen.	☐	☐
3	Er weiß die Kontonummer nicht.	☐	☐

2 b Hören Sie ein weiteres Telefongespräch und ergänzen Sie die Information.
1.75

• Sprachschule Becker, hier spricht Helene Deck.

• Guten Tag, mein Name ist Matteo Bernardini. Ich möchte die Gebühr für den B2-Abend-
kurs überweisen, aber ich kann Ihre Bankverbindung nicht finden.

• Unsere IBAN ist .... bei der VR Bank Bamberg.

• Vielen Dank und auf Wiederhören.

2 c Variieren Sie den Dialog. Die Informationen für Partner/in B finden Sie auf Seite 86.

> **Partner/in A**
>
> **Situation 1:** Sie sprechen mit dem
> Reisebüro Wolters. Sie wollen Geld
> für eine Busreise nach Hamburg
> überweisen.
>
> **Situation 2:** Sie arbeiten für den
> Fußballverein SV Assenheim.
> Bankverbindung: Postbank Karlsruhe,
> IBAN: DE18 3601 0043 5722 8412 09

1a
Ü18

Lesen Sie die Sätze 1–6 und bringen Sie die Bilder in die richtige Reihenfolge.

1 Frau Stein geht um acht Uhr aus dem Haus. Sie bringt vor der Arbeit ihren Sohn zur Kita.

2 Dann fährt sie mit dem Zug zur Arbeit.

3 Die Bank öffnet um neun Uhr. Am Vormittag bedient sie die Kunden.

4 Um halb eins hat sie Mittagspause. Dann geht sie mit ihren Kolleginnen essen.

5 Nach der Pause hat sie einen Termin beim Chef.

6 Um halb fünf kommt Frau Stein von der Arbeit und fährt mit ihrem Sohn zum Supermarkt.

1b Markieren Sie in 1a die Präpositionen *aus, bei, mit, nach, von, vor* und *zu* mit den Nomen wie im Beispiel.

2
Ü19-21

Ergänzen Sie die Sätze mit dem Dativ.

1 Frau Stein geht zur *Post*. (die Post)

2 Sie hat um 11 Uhr einen Termin

bei................................. (der Friseur)

3 Sie kommt aus .... (das Büro)

4 Nach .... besuche ich einen
Freund. (die Arbeit)

5 Sie kommt von ....
(der Kindergarten)

6 Vor .... haben wir wenig Zeit.

Nach .... können wir essen gehen. (das Konzert 2x)

7 Firas fährt zu................................. (das Fußballtraining)

8 Sie geht mit .... essen. (die Nachbarn)

Präpositionen mit Dativ
aus, bei mit, von, zu,
vor (temporal), nach

der Chef	**mit de**m Chef
das Haus	**aus dem** Haus
die Chefin	**bei der** Chefin
die Kinder (Pl.)	**mit den** Kindern.

| zu dem → zum | zu der → zur |
| bei dem → beim | von dem → vom |

3 a

Ü22-23

Wo? Wohin? Woher? Schreiben Sie Sätze mit Präpositionen wie im Beispiel.

Wo ist Frau Stein (nicht)?

1   der Bäcker   *Frau Stein ist nicht beim Bäcker.*

2   die Chefin   ....

3   der Friseur   ....

Wohin geht Lisa Stein (nicht)?

1   die Schule   *Lisa geht zur Schule.*

2   der Kindergarten ....

3   die Freunde   ....

Woher kommt Herr Stein (nicht)?

1   der Markt   *Herr Stein kommt vom Markt.*

2   die Haltestelle   ....

3   das Reisebüro   ....

3 b

Wo waren Sie gestern? Wohin gehen Sie heute?
Fragen und antworten Sie.

> Wo waren Sie gestern?

> Wohin gehen Sie heute?

Chef •
Friseur • Bäcker •
Arbeit

Bank •
Kita • Chef •
Supermarkt

Wo? – Wohin? – Woher?	
Wo?	beim Arzt / bei der Chefin
Wohin?	zum Arzt / zur Schule
Woher?	vom Arzt / von der Chefin
Wo? → zu Hause	
Wohin? → nach Hause	
Woher? → von zu Hause	

4

Sie wollen mit Ihrem Partner / Ihrer Partnerin einen Termin machen. Wann haben Sie Zeit? Den Terminplan für Partner/in B finden Sie auf Seite 86.

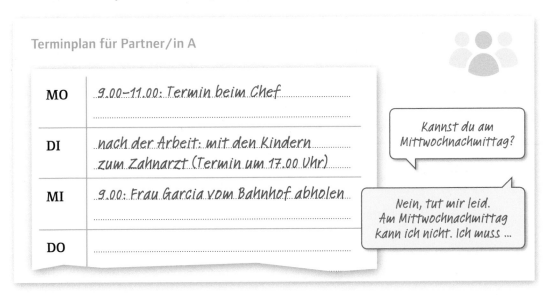

Terminplan für Partner/in A

MO	*9.00–11.00: Termin beim Chef*
DI	*nach der Arbeit: mit den Kindern zum Zahnarzt (Termin um 17.00 Uhr)*
MI	*9.00: Frau Garcia vom Bahnhof abholen*
DO	

> Kannst du am Mittwochnachmittag?

> Nein, tut mir leid. Am Mittwochnachmittag kann ich nicht. Ich muss ...

Grammatik sprechen

1 Wo sind die Leute, wohin gehen oder fahren sie und woher kommen sie?
Beschreiben Sie das Bild.

> sein • kommen • fahren • gehen • nach Hause gehen • zu Hause sein •
> von zu Hause kommen • der Friseur • die Haltestelle • der Bäcker

Minidialoge sprechen

2 Kannst du …? Musst du …? Willst du …? Fragen und antworten Sie.

> Kannst du Auto fahren?

> Ja, das kann ich.

können	Auto fahren? • schwimmen? • bald Urlaub machen? • den Akkusativ erklären?
wollen	Freunde besuchen? • zusammen grillen? • zusammen Hausaufgaben machen?
müssen	viel arbeiten? • am Abend arbeiten? • am Wochenende arbeiten?

Wörter sprechen

🔊 1.76 **3 a** Berufe. Hören Sie zu, achten Sie auf den Wortakzent und sprechen Sie nach.

der Ingenieur   der Bankkaufmann   die Altenpflegerin

die Köchin   die Programmiererin   die Reinigungskraft

die Taxifahrerin   die Briefträgerin   die Hausmeisterin

der Sekretär   die Krankenschwester   der Kellner

3 b Wer ist das? Arbeiten Sie zu zweit. Sprechen und raten Sie.

> Kaffee und Kuchen bringen • Essen kochen • im Büro arbeiten •
> am Wochenende arbeiten • am Computer arbeiten •
> Kunden nach Hause fahren • Geld wechseln • auf der Baustelle arbeiten

Die Person wechselt Geld.

Das ist der Bankkaufmann oder die Bankkauffrau.

Richtig!

Flüssig sprechen

🔊 1.77 **4** Hören Sie zu und sprechen Sie nach.

VIDEO

Clip 09
Seite 98

Dialogtraining

5 a Lesen Sie den Dialog und ergänzen Sie die Modalverben.

● Findest du deine Arbeit gut?

● Ja, die Arbeit ist wirklich interessant.

● .... du auch mit den Kunden sprechen?

● Nein, das macht der Chef. Er hat den Kontakt zu den Kunden.

● .... du dann nicht zu Hause arbeiten?

● Doch, das geht schon. Ich brauche ja nur

einen Computer und das Internet. Aber ich .... nicht alleine arbeiten. Ich arbeite gern im Team.

🔊 1.78 **5 b** Hören Sie den Dialog und kontrollieren Sie.

5 c Sprechen Sie den Dialog zu zweit und ergänzen Sie eine Frage mit Antwort.

Kommunikation

über Berufe und Arbeit sprechen

Eine Sekretärin muss viel telefonieren.
Die Arbeitszeit bei der Bank ist von
9.00 bis 17.00 Uhr.
Ein Krankenpfleger hat oft Schichtdienst

ein Überweisungsformular ausfüllen

- Ich möchte die Gebühr für den Kurs überweisen. Wie ist Ihre IBAN?
- Meine IBAN ist DE 58 6137 0000 0005 3833 07.

sagen, was man kann, will oder muss

Ich kann gut Englisch sprechen.
Ich kann am Wochenende lange schlafen.
Wir wollen Deutsch lernen.
Wir müssen morgen früh aufstehen.

einen Tagesablauf beschreiben

Ich komme heute schon um 16 Uhr von der Arbeit.
Ich gehe zum Arzt.
Gestern war ich beim Friseur.

Grammatik

Modalverben

	können	müssen	wollen
ich	kann	muss	will
du	kannst	musst	willst
er/es/sie/man	kann	muss	will
wir	können	müssen	wollen
ihr	könnt	müsst	wollt
sie/Sie	können	müssen	wollen

Satzklammer bei Modalverben

Ich	kann	gut Deutsch	lesen.
Er	muss	früh	aufstehen.
Sie	wollen	nach Italien	fahren.
	Können	Sie heute	kommen?
	Musst	du morgen	arbeiten?
	Wollt	ihr	mitkommen?

Präpositionen mit Dativ

aus, bei, mit, nach, von, vor (temporal), **zu**
zu de**m** → zu**m**, zu de**r** → zu**r**, bei de**m** → bei**m**, von de**m** → vo**m**

Sie kommt **von der** Arbeit und geht **mit ihren** Kindern **zum** Friseur. Jetzt ist sie **beim** Friseur. **Vor dem** Abendessen muss sie noch einkaufen und **nach dem** Essen will sie fernsehen.

Artikel im Dativ

		bestimmter Artikel	unbestimmter Artikel
m	der Supermarkt	Sie geht aus de**m** Supermarkt.	aus eine**m** Supermarkt
n	das Kind	Er spielt mit de**m** Kind.	mit eine**m** Kind
f	die Schule	Sie kommt von de**r** Schule.	von eine**r** Schule
Pl.	die Freunde	Er fährt zu de**n** Freunde**n**.	zu Freunde**n**

Der Dativ Plural hat immer **-n**.
Ausnahme: Nomen mit **s**-Plural: die Auto**s** – mit den Auto**s**

Der Possessivartikel und der negative Artikel haben die gleiche Endung wie der unbestimmte Artikel: zu mein**em** Deutschkurs, von mein**er** Schule, zu mein**en** Freunde**n**

Dialoge spielen

1 Acht Situationen. Arbeiten Sie zu zweit. Wählen Sie drei Situationen aus, machen Sie
   Notizen und spielen Sie die Dialoge mit Ihrem Partner / Ihrer Partnerin.

(1) Fragen Sie nach der Uhrzeit.

(2) Sie wollen mit einem Freund /
einer Freundin zusammen
einen Ausflug machen. Ma-
chen Sie einen Termin.

Montag	Dienstag	Mittwoch	Donnerstag
9:00 bis 11:00 Uhr: Deutsch lernen	10:30 Uhr: zum Arzt gehen	10:00 Uhr: ein Handy kaufen	9:00 bis 11:00 Uhr: Deutsch lernen

(3) Sie sind auf dem Markt und
wollen Gemüse kaufen. Spielen
Sie einen Dialog.

(4) Sie wollen den Mitgliedsbeitrag
für den Fußballverein überweisen. Rufen Sie an und fragen Sie
nach der Bankverbindung.

(5) Was wollen Sie am Wochenende
machen? Machen Sie gemeinsam Pläne und erzählen Sie.

(6) Sie wollen heute Abend kochen.
Machen Sie mit Ihrem Partner /
Ihrer Partnerin die Einkaufsliste.

(7) Sie bekommen am Wochenende Besuch von einem Freund /
einer Freundin. Machen Sie
gemeinsam Pläne.

(8) Was ist für Sie wichtig im Beruf?
Machen Sie ein Interview mit
Ihrem Partner / Ihrer Partnerin.

2a Bilden Sie zwei Gruppen. Ordnen Sie die Wörter den vier Wortfeldern zu. Diskutieren Sie, wo die Wörter passen. Welche Gruppe ist schneller?

ARBEIT/BERUF

GELD/BANK

der Ausflug

die Arbeitszeit

die IBAN

die EC-Karte

das Büro

die Bankverbindung

die Bäckerei

das Frühstück

der Hausmeister

der Markt

das Computerspiel

der Imbiss

das Kino

der Kontoauszug

das Hobby

das Ei

FREIZEIT

das Konto

die Mittagspause

ESSEN

das Konzert

die Überweisung

die Karriere

2b Lesen Sie die Wörter in 2a. Sie haben zwei Minuten Zeit. Schließen Sie dann das Buch. Wie viele Wörter können Sie mit Artikel aufschreiben?

2c Bilden Sie im Kurs vier Gruppen. Jede Gruppe macht ein Lernplakat mit weiteren Wörtern und Wortgruppen zu einem Wortfeld. Vergleichen Sie dann im Kurs.

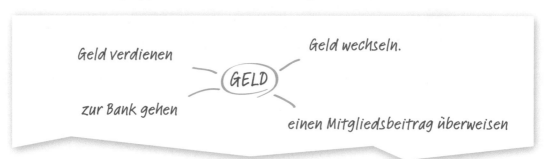

Geld verdienen

Geld wechseln.

GELD

zur Bank gehen

einen Mitgliedsbeitrag überweisen

3 Berufe raten. Fragen und raten Sie im Kurs.

Arbeitest du im Büro?

Nein.

Bist du Friseur von Beruf?

Ja, ich bin Friseur.

1

1b Was sind die Personen von Beruf? Arbeiten Sie zu zweit. Fragen und antworten Sie.

Partner/in B

| Herr Schmidt | Frau Neuer | Herr Santos | Frau Mbeki |
| .... | *Hausfrau* | .... | *Lehrerin* |

> Was ist Frau Neuer von Beruf?

> Frau Neuer ist ...

| Frau Arslan | Herr Wang | Frau Basdeki | Herr Aydin |
| .... | *Programmierer* | .... | *Altenpfleger* |

> Was sind Sie von Beruf?

....

5

3a Schreiben Sie Ihren Wochenplan.

3b Fragen Sie Ihren Partner / Ihre Partnerin und machen Sie Notizen.

> Was machst du am Donnerstag?

> Was machst du am Dienstagabend?

Partnerseiten

2 a Arbeiten Sie zu zweit. Partner/in A schreibt einen Wochenplan für Georg, Partner/in B für Dana. Ergänzen Sie die Aktivitäten und Uhrzeiten.

> Verwandte besuchen • schwimmen gehen • Deutsch lernen •
> Hausaufgaben machen • Freunde treffen • essen gehen • nach München fahren

Partner/in B: Der Wochenplan für Dana

Montag	Dienstag	Mittwoch	Donnerstag	Freitag	Samstag/ Sonntag
				20:00 Uhr: Verwandte besuchen	

2 b Fragen Sie Ihren Partner / Ihre Partnerin, tragen Sie seine/ihre Antworten in den Kalender ein und vergleichen Sie.

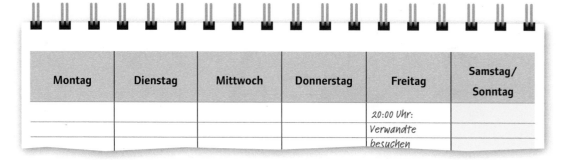

Wann besucht Georg Verwandte?

Wann besucht Dana Verwandte?

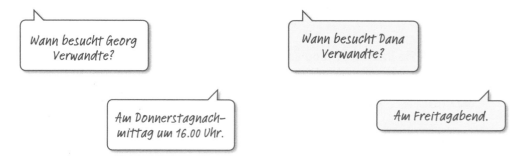

Am Donnerstagnachmittag um 16.00 Uhr.

Am Freitagabend.

6

1 Was kauft Herr Paoletti? Was kauft Frau Luis? Arbeiten Sie zu zweit. Fragen und antworten Sie.

Partnerseiten

7

2c Variieren Sie den Dialog.

Partner/in B

Situation 1: Sie arbeiten beim Reisebüro Wolters. Bankverbindung: Sparkasse Dortmund, IBAN: DE19 4405 0199 9234 6128 79

Situation 2: Sie sprechen mit dem Fußballverein „SV Assenheim". Sie wollen das Geld für den Mitgliedsbeitrag überweisen.

7

3 Sie wollen mit Ihrem Partner / Ihrer Partnerin einen Termin machen. Wann haben Sie Zeit?

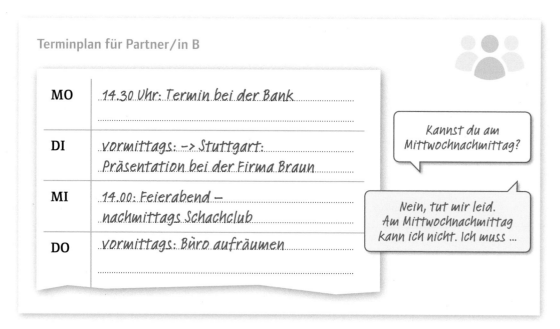

Terminplan für Partner/in B

MO	14.30 Uhr: Termin bei der Bank
DI	vormittags: -> Stuttgart: Präsentation bei der Firma Braun
MI	14.00: Feierabend – nachmittags Schachclub
DO	vormittags: Büro aufräumen

Kannst du am Mittwochnachmittag?

Nein, tut mir leid. Am Mittwochnachmittag kann ich nicht. Ich muss ...

Rhythmisch sprechen

🔊 **1a** Schwere und leichte Silben. Hören Sie,
1.79   klatschen Sie und sprechen Sie nach.

- Guten Tag. Wie geht's?
- Danke, gut. Und Ihnen?
- Auch gut. Danke.

- Entschuldigung, wie heißen Sie?
- Mein Name ist …

1b Sprechen Sie die Dialoge mit Ihrem Partner / Ihrer Partnerin.

Alte Heimat, neue Heimat   **2**

Der Wortakzent

Jedes Wort hat eine betonte (wichtige) Silbe: der **Blei**stift. Das ist der Wortakzent.
Tippen und klatschen Sie den Wortakzent so:

der   **Blei**   stift

🔊 **1** Hören Sie, klatschen Sie und sprechen Sie nach.
1.80

das **Fen**ster – der **Leh**rer – die **Leh**rerin – Ent**schul**digung

🔊 **2a** Hören Sie die Wörter und markieren Sie den Wortakzent.
1.81

<u>Deu</u>tschland – Europa – Afrika – Amerika – Australien – Asien

2b Wie heißt Ihr Land auf Deutsch? Schreiben Sie und markieren Sie den Wortakzent.

Ich komme aus ...., das liegt in ....

2c Fragen und antworten Sie im Kurs. Achten Sie auf den Wortakzent.

Phonetik

③ Häuser und Wohnungen

Die Vokale *a e i o u*

🔊 1.82 **1** Hören Sie und sprechen Sie nach.

a das Schlafzimmer – das Bad – das Regal – die Lampe – der Schrank – schwarz

e zehn – der Herd – wie geht's – das Bett – der Sessel – gelb

i wie – der Spiegel – lila – das Bild – der Tisch – das Kind

o wohnen – das Sofa – groß – kommen – kosten – willkommen

u der Stuhl – die Blume – das Buch – der Kurs – und – die Nummer

🔊 1.83 **2 a** Vokaldiktat. Hören Sie und ergänzen Sie die Vokale.

- G......ten T......g, w......e ......st ......hr N......me?

- G......ten T......g, mein N......me ......st Kleev.

- W......e b......tte?

- Mom......nt, ...ch buchstab......ere: K L E E V.

- W......hnen S......e sch......n l......nge h......er?

- J......, sch......n z......hn J......hre.

- W......s s......nd S......e v......n Ber......f?

- L......hrer.

2 b Hören Sie noch einmal und sprechen Sie nach.

④ Familienleben

Das *er* in der Endung

🔊 1.84 **1 a** Hören Sie und markieren Sie den Wortakzent.

der Vater – die Mutter – der Bruder – die Schwester – die Geschwister – die Eltern

> Das *er* in der Endung spricht man wie ein schwaches **a**. Man hört kein **r**!

1 b Hören Sie noch einmal und sprechen Sie nach. Achten Sie auf den Wortakzent und die Endung.

1 c Fragen und antworten Sie wie im Beispiel.

Hast du Geschwister?

Ja, ich habe eine Schwester

Wo leben deine Eltern?

Das *e* in der Endung

🔊 1.85 **2 a** Hören Sie und markieren Sie den Wortakzent.

die Tante – die Cousine – die Nichte – der Neffe – der Onkel – die Familie – zu Hause

> Das **e** in der Endung spricht man schwach (Schwa-Laut).

2 b Hören Sie noch einmal und sprechen Sie nach.

3 a Sprechen Sie die Pluralformen und achten Sie auf den Wortakzent und die Endungen.

das Heft – die Hefte	der Mann – die Männer
der Stift – die Stifte	das Kind – die Kinder
der Film – die Filme	das Bild – die Bilder
der Freund – die Freunde	das Buch – die Bücher

3 b Konjugieren Sie die Verben. Achten Sie auf die Endungen.

> wohnen • leben • kommen • bleiben

Der Tag und die Woche

5

Lange und kurze Vokale

🔊 1.86 **1** Hören Sie und sprechen Sie nach.

lange Vokale: der Tag – wie geht's – auf Wiedersehen – wohnen – Fußball
kurze Vokale: wann – essen – schwimmen – das Hobby – um

> Lange Vokale markiert man so: der Tag   Kurze Vokale markiert man so: wann
>
>
> Geste: langer Vokal
>
>
> Geste: kurzer Vokal

2 a Suchen Sie die Wörter in der Wortliste (ab Seite 105) und markieren Sie die Vokale.

Montag   Dienstag   Mittwoch   Donnerstag   Freitag   Samstag   Sonntag

🔊 1.87 **2 b** Hören Sie die Wochentage, sprechen Sie nach und machen Sie die Geste für den Vokal.

3 Fragen und antworten Sie. Achten Sie auf die Vokale.

> … gehe ich schwimmen. • … arbeite ich. •
> … gehe ich tanzen. • … fahre ich Fahrrad.

> Was machst du am Montag?

> Am Montag gehe ich schwimmen.

---

6 **Guten Appetit!**

Die Umlaute *ä ö ü*

🔊 1.88 **1a** Hören Sie und sprechen Sie nach.

ä   der Käse – das Hähnchen – zwei Äpfel – die Getränke

ö   das Brötchen – schön – die Köchin – ich möchte

ü   das Müsli – die Tüte – wünschen – Tschüss

1b Hören Sie noch einmal und markieren Sie: Ist der Vokal lang oder kurz?

🔊 1.89 **2a** Das *i* und das *ü*. Mundgymnastik. Hören Sie und sprechen Sie nach.

iii üüü iii üüü i ü i ü i ü i ü   i   ü

🔊 1.90 **2b** Hören Sie und kreuzen Sie an: Welchen Namen hören Sie?

1 ☐ Bittner   ☐ Büttner   3 ☐ Miller   ☐ Müller
2 ☐ Bieler   ☐ Bühler   4 ☐ Kiel   ☐ Kühl

🔊 1.91 **3a** Das *e* und das *ö*. Mundgymnastik. Hören Sie und sprechen Sie nach.

eee ööö eee ööö e ö e ö e ö e ö   e   ö

🔊 1.92 **3b** Hören Sie und kreuzen Sie an: Welchen Namen hören Sie?

1 ☐ Werner   ☐ Wörner   3 ☐ Hehne   ☐ Höhne
2 ☐ Kehler   ☐ Köhler   4 ☐ Meller   ☐ Möller

4 Lesen Sie den Dialog. Wählen Sie dann einen Namen aus Aufgabe 2 oder 3 und stellen Sie sich vor. Spielen Sie die Dialoge.

- Guten Tag, mein Name ist Bühler.
- Guten Tag Frau Bieler.
- Nein, Bühler ist mein Name.
- Entschuldigung, Frau Bühler.

Die Diphtonge *ei au eu*

◀)) 1.93 **1** **Hören Sie und sprechen Sie nach.**

eu neu – Deutsch – Euro – der Freund – heute – der Verkäufer

au verkaufen – die Hausaufgabe – draußen – zu Hause – aus

ei der Teilnehmer – überweisen – allein – reisen – bei – seit

> Die Buchstaben **äu** spricht man wie **eu** und **ai** spricht man wie **ei**.

◀)) 1.94 **2 a** **Was ist er von Beruf? Hören Sie den Dialog und ergänzen Sie *ei*, *au* oder *eu*.**

* Müssen Sie früh .... fstehen?

* Ja, manchmal muss ich früh .... fstehen.

* Arbeiten Sie dr .... ßen?

* Ja, manchmal arb .... te ich dr .... ßen, manchmal

  arb .... te ich aber .... ch im H .... s.

* Arb .... ten Sie all .... ne?

* Ja, oft arb .... te ich all .... ne.

* R .... sen Sie viel?

* N .... n, ich muss l .... der nicht r .... sen.

* Br .... chen Sie ein .... to?

* Ja, manchmal muss ich etwas .... nk .... fen, dann br .... che ich ein .... to.

* Arb .... ten Sie h .... te?

* N .... n, h .... te habe ich Url .... b.

Er ist Hausmeister.

2 b **Lesen Sie den Dialog zu zweit.**

3 **Fragen und antworten Sie.**

Brauchen Sie ein Auto?

Müssen Sie früh aufstehen?

Arbeiten Sie draußen?

Reisen Sie viel?

Arbeiten Sie alleine?

Nein, ich arbeite ...

Video

Clip 1 + 2 **1** Wer ist das? Sehen Sie Clip 1 und 2 an. Ordnen Sie die Namen zu und schreiben Sie Sätze.

> Antonio Fernández Garcia • ~~Corinna Weber~~ • Daniel • Elena • Julia • Luis

Das ist Corinna Weber. ....

....

Clip 1 + 2 **2a** Sehen Sie Clip 1 und 2 noch einmal an. Wer sagt was? Ergänzen Sie.

> Hallo, wir sind neu hier. • Ich wohne schon lange in Berlin. •
> Ja, wir kommen aus Mannheim. • Sind Sie neu hier in Berlin?

2b Alles richtig? Sehen Sie Clip 1 und 2 noch einmal an und korrigieren Sie.

Alte Heimat, neue Heimat

1 Sehen Sie das Foto an und verbinden Sie die Sätze.

1 Das sind   A   Luis.

2 Sie kommen   B   in Berlin.

3 Sie wohnen   C   neu hier.

4 Sie sind   D   aus Mannheim.

5 Der Sohn heißt   E   Corinna und Antonio.

Clip 3

2 Sehen Sie Clip 3 an. Welche Zahlen hören Sie? Ergänzen Sie.

Name: Antonio Fernández Garcia

Straße: Hufelandstr. ....

Ort: .... Berlin

Dominika Nurowska

Clip 3

3 Sehen Sie Clip 3 noch einmal an. Ergänzen Sie die Fragen von Frau Nurowska.

1 • ....   • Er ist fünf Jahre alt.

2 • ....   • Ja, ich bin Spanier.

3 • ....   • Er spricht Deutsch und Spanisch. Seine Muttersprache ist Deutsch.

4 • ....   • Prima. Ja, die E-Mail-Adresse ist cweber@web.de.

Clip 3

4 Wer sagt was? Machen Sie eine Tabelle im Heft und sehen Sie Clip 3 noch einmal zur Kontrolle an.

> Ich schicke ein Anmeldeformular. • Ja, tschüss. Danke! •
> Und? Haben Sie noch Plätze frei? • Und jetzt? • Und wie ist Ihr Name? •
> Wir haben eine Kita! • Bis bald. Auf Wiederhören.

Antonio	Corinna	Frau Nurowska

3 Häuser und Wohnungen

1 a Was sehen Sie? Sprechen Sie über das Zimmer und die Möbel.

Im Wohnzimmer ist ein Tisch.
Der Tisch ist braun.

Das ist ...

1 b Was glauben Sie? Was braucht die Familie noch? Machen Sie eine Liste.

Familie Fernández-Weber braucht

....

....

....

Clip 4

1 c Was braucht die Familie wirklich? Sehen Sie Clip 4 an und kreuzen Sie an.

 A ☐   B ☐    C ☐   D ☐

Clip 4

2 Was sagt Julia zur Familie? Was sagt Julia zu Sara? Sehen Sie Clip 4 und verbinden Sie.

zur Familie

1   Berlin ist super.
2   Das Badezimmer ist furchtbar.
3   Das Badezimmer ist ganz modern.
4   Die Wohnung ist toll: groß und hell.
5   Sie ist klein und langweilig.
6   Wir haben vier Zimmer.

zu Sara

Familienleben

Clip 5

1a Sehen Sie Clip 5 an. Über welche Freizeitaktivitäten spricht die Familie? Kreuzen Sie an.

1 ☐ einen Film sehen	**5** ☐ eine Radtour machen
2 ☐ die S-Bahn nehmen	**6** ☐ Zeitung lesen
3 ☐ ein Straßenfest besuchen	**7** ☐ faulenzen
4 ☐ eine Stadt besichtigen	**8** ☐ eine Schifffahrt machen

1b Was macht die Familie am Sonntag?
Schreiben Sie.

....

....

Clip 6

2a Was denkt Ernst Walter? Sehen Sie Clip 6 an und ergänzen Sie die Sätze.

1 Aha, sie haben .... Kinder. Der

Sohn ist noch klein. Wie alt ist er?

.... Jahre? Oder ....?

2 Aber die Tochter ist schon ....

Sie ist vielleicht .... oder

.... Jahre alt.

3 Und die Eltern? Wie alt ist die Mutter?

...........................? .... ?

4 Und was ist er von Beruf? ....? ....?

Arbeitet er oder ist er Hausmann?

5 Er ist Lehrer. Nein, ich glaube die Frau ist ....

2b Und was denken Sie? Ergänzen Sie die Tabelle.

	Luis	Julia	Antonio	Corinna
Alter	?	?	?	?
Beruf				

Video

⑤ Der Tag und die Woche

Clip 7 **1a** Sehen Sie Clip 7 an. Wer macht was gern? Ordnen Sie zu.

> einkaufen gehen • joggen gehen • früh aufstehen •
> lange schlafen • schwimmen gehen • einen Ausflug machen

Corinna

....

....

....

....

Julia

....

....

....

....

1b Sehen Sie Clip 7 noch einmal an. Wer macht was nicht gern? Schreiben Sie Sätze.

Corinna: Julia:

....

....

Clip 7 **2** Sehen Sie Clip 7 noch einmal an. Ordnen Sie die Sätze zu einem Dialog und lesen Sie den Dialog zu zweit.

- ☐ Schön. Was ist?
- ☐ Ja, klar! Einen Freund …
- ☐ Ja, sie gehen zusammen aus.
- ☐ Nein, er trifft einen Freund.
- ☑ Der Ausflug heute war richtig klasse. … Oder?
- ☐ Ja!
- ☐ Potsdam ist wirklich schön.
- ☐ Aha. Alexander …
- ☐ Ja, der Tag war super.
- ☐ Ich glaube, er heißt Alexander.
- ☐ Daniel hatte keine Zeit heute Abend …
- ☐ Aha. Und wie heißt der Freund?

3 Lesen Sie die Aussagen. Was ist richtig? Kreuzen Sie an.

1	Corinna steht morgen	☐ um 6.00 Uhr auf.	☐ um 10.00 Uhr auf.
2	Julia möchte nicht mit Corinna	☐ schwimmen gehen.	☐ joggen gehen.
3	Luis geht	☐ morgen in die Kita.	☐ am Mittwoch in die Kita.

1 a Clip 8 — Lesen Sie die Einkaufszettel und sehen Sie den Clip 8 an. Welcher Einkaufszettel passt? A oder B? Kreuzen Sie an.

A ☐
2 kg Reis
100 g Joghurt
Käse
1 kg Tomaten
2 Zwiebeln   Bier
2 Orangen
1 kg Hackfleisch
1 Flasche Wasser
Brot
Salat   Schokolade

B ☐
2 kg Reis
200 g Joghurt
1 l Milch
1 kg Tomaten
10 Zwiebeln   Brot
2 Orangen
500 g Hackfleisch
ein Kasten Wasser
Bier
Äpfel   Kuchen

1 b Sehen Sie Clip 8 noch einmal an und vergleichen Sie mit dem Einkaufszettel. Was hat Daniel vergessen? Notieren Sie.

....

2 Clip 8 — Schreiben Sie den Dialog, kontrollieren Sie mit Clip 8 und lesen Sie dann zu zweit.

Kunde
- Guten Tag! Ich hätte gerne ein Kilo Tomaten.
- Ja, zwei Orangen.
- Einen Moment … Ich habe nur 5 Cent.
- Ja, ich brauche noch zehn Zwiebeln. Und das ist dann alles.
- Ich habe es leider nicht passend.

Verkäufer
- Guten Tag, was möchten Sie?
- Das macht zusammen 4 Euro und 3 Cent.
- Haben Sie vielleicht 3 Cent?
- Sehr gern! … Sonst noch etwas?
- Ein Kilo Tomaten … Haben Sie sonst noch einen Wunsch?
- So, und dann bekommen Sie 16 Euro und 2 Cent zurück.

3 Clip 8 — Lesen Sie die Aussagen. Was ist richtig? Kreuzen Sie an und korrigieren Sie die falschen Aussagen.

1 ☐ Daniel möchte mit Elena zusammen kochen.

2 ☐ Elena kocht selten.

3 ☐ Daniel schreibt seine Adresse auf.

4 ☐ Elena kauft Reis und Zitronen ein.

Video

1 Sehen Sie Clip 9 an. Welche Berufe hören Sie? Kreuzen Sie an.

Clip 9

1 ☐ Ingenieur/in 2 ☐ Programmierer/in 3 ☐ Arzt/Ärztin 4 ☐ Lehrer/in
5 ☐ Sekretär/in 6 ☐ Briefträger/in 7 ☐ Buchhalter/in 8 ☐ Bäcker/in

2 Sehen Sie Clip 9 noch einmal an. Wie beschreibt Antonio seine Arbeit? Lesen Sie die Aussagen und kreuzen Sie an: Richtig oder falsch?

Clip 9

	R	F
1 Ich kenne das Büro noch nicht so gut, aber das ist okay.	☐	☐
2 Alles ist neu und anders. Das ist anstrengend.	☐	☐
3 Die Arbeit ist ein bisschen langweilig.	☐	☐
4 Ich schreibe eine Software für Buchhalter.	☐	☐
5 Ich habe sechs Kollegen: vier Frauen, zwei Männer.	☐	☐

3 Wer will was? Schreiben Sie Sätze.

alleine arbeiten • im Team arbeiten • mit den Händen arbeiten • viel Geld verdienen

Luis will ....
....
....
....
....
....

Hörtexte

Hier finden Sie alle Hörtexte, die nicht oder nicht vollständig im Buch abgedruckt sind.

Willkommen! 1

B 2

1 O   2 G   3 N   4 A   5 M   6 E   7 V
8 W   9 A Umlaut   10 C   11 Z   12 ß

B 3

1 ● Wie heißen Sie?
  ● Joachim Schote.
  ● Wie bitte? Wie schreibt man das?
  ● Moment, ich buchstabiere.
    J O A C H I M   S C H O T E.

2 ● Wie heißen Sie?
  ● Sami Khedira.
  ● Wie bitte? Wie schreibt man das?
  ● Moment, ich buchstabiere.
    S A M I und dann K H E D I R A.

3 ● Wie heißen Sie?
  ● Susanne Müller.
  ● Wie bitte? Wie schreibt man das?
  ● Moment, ich buchstabiere.
    S U S A N N E   M U-Umlaut L L E R.

4 ● Wie heißen Sie?
  ● Max Mayer.
  ● Wie bitte? Wie schreibt man das?
  ● Moment, ich buchstabiere.
    M A X   M A Y E R.

C 2

1 Guten Tag, Herr Krause.
2 Hallo, wie heißt du?
3 Tschüss, Daniel.
4 Guten Tag, Frau Schneider, wie geht es Ihnen?

D 3

1 HH FK 6341
2 MS TT 2011
3 F ZV 245
4 N BB 763
5 ZH 871 6432
6 W MA 9

Sprechen aktiv 5

Wie heißen Sie?
Woher kommen Sie?
Wie geht es Ihnen?
Was sind Sie von Beruf?

Wie bitte?
Wie schreibt man das?

Alte Heimat, neue Heimat 2

A 2

● Willkommen in unserer Sendung „Leute in Deutschland". Herr und Frau Monti, leben Sie schon lange in Deutschland? Oder sind Sie neu hier?
● Nein, nein, wir leben schon lange in Deutschland, wir sind schon zwanzig Jahre hier. Ich arbeite bei Siemens hier in München. Meine Frau ist Sekretärin in einer Sprachschule.
● Woher kommen Sie?
● Ich komme aus Italien und meine Frau kommt aus Polen.
● Welche Sprachen sprechen Sie?
● Wir sprechen Italienisch, Polnisch, natürlich Deutsch und ein bisschen Spanisch. Und jetzt lernen wir Englisch.

B 1a

die Tür – das Fenster – die Uhr – der Stuhl –
das Plakat – die Tafel – die Lampe – die Flasche –
das Papier – das Wörterbuch – der Kugelschreiber –
der Kuli – der Tisch – der USB-Stick –
der Schlüssel – das Handy – das Heft –
die Brille – das Buch – die CD – die Tasche –
der Laptop – das Tablet

C 3b

Und im Ziel begrüßen wir die Nummern:
696, 245, 372, 483, 824, 717, 538, 111.

C 4a

1 ● Hallo, Marie, hast du die Handynummer von Paul?
  ● Ja, die Nummer ist 0177 – 25 35 53.
  ● 0177 – 253 553?
  ● Ja.
  ● O.k. Danke.

2 ● Haben Sie die Telefonnummer von Herrn Weiß?
  ● Nein, die Telefonnummer habe ich nicht, ich habe die Handynummer:
    0174 – 689731.
  ● Danke sehr.

3 • Wie ist die Handynummer von Frau Tanner?
  • Frau Tanner hat kein Handy.
  • Ach so.

4 • Entschuldigung, haben Sie die Nummer von der Sprachschule?
  • Ja, die Nummer ist 0711 – 38 38 33.
  • 38 38 33?
  • Ja, genau.
  • Vielen Dank.

5 • Birthe hat jetzt ein Telefon!
  • Und wie ist die Nummer?
  • Die Vorwahl ist 02552.
  • Ja, und die Nummer?
  • Die Nummer ist zwei, null, drei, eins, zwei, zwei.
  • Zwanzig, einunddreißig, dreiundzwanzig?
  • Nein, zwo, null, drei, eins, zwo, zwo.
  • Danke schön.

Sprechen aktiv 6

Wie ist Ihre Adresse?
Wie ist Ihre Handynummer?
Wie ist Ihre E-Mail-Adresse?
Welche Sprachen sprechen Sie?
Was ist Ihre Muttersprache?
Was ist Ihre Nationalität?

Wie heißt das auf Deutsch?
Wie schreibt man das?
Wie ist der Artikel?
Wie ist der Plural?

 Häuser und Wohnungen

A 2

• Oje, das ist noch viel Arbeit. Wir brauchen noch ein Regal für das Wohnzimmer.
• Ja, das stimmt, aber das ist kein Problem. Möbel-Hanser hat gute Regale. Sie sind groß und nicht teuer. Dort kaufen wir auch neue Stühle. Brauchen wir auch noch einen Teppich?
• Ach, ein Teppich ist jetzt nicht so wichtig. Aber wir haben noch keine Spülmaschine.
• Ja, stimmt. Elektro-Müller hat viele Sonderangebote. Die Spülmaschine kaufen wir da.
• Dann kaufen wir zuerst die Spülmaschine.

B 1c

Ist das ein Bett?
Ist das ein Stuhl?

Ist das ein Waschbecken?
Ist das eine Spülmaschine?
Ist das eine Kommode?

C 1b

• Guten Tag. Ich suche Familie Koval. Ich glaube, sie wohnt hier im 1. Stock oder im 2. Stock.
• Nein, Herr und Frau Koval wohnen ganz oben, im Dachgeschoss.
• Okay, danke.
• Hallo?
• Hallo, hier ist Mirko.
• Guten Tag, Mirko, komm rein.
• Guten Tag, Maksym. Das Haus ist groß. Hier wohnen viele Leute.
• Ja, hier wohnen und arbeiten 16 Personen. Und unten im Erdgeschoss sind noch Geschäfte. Es gibt einen Asienladen. Hier arbeitet Herr Lim. Es gibt auch einen Obst- und Gemüseladen. Hier arbeiten Herr und Frau Demir.
• Und im 1. Stock?
• Familie Waltermann wohnt im 1. Stock links. Frau Costa wohnt rechts. Und im 2. Stock links wohnt Familie Wang. Familie Singer wohnt rechts. Und wir wohnen hier im Dachgeschoss. Sehr gemütlich.

D 4b

Meine Wohnung ist günstig, sie kostet 400 Euro Miete ohne Nebenkosten. Sie ist 50 qm groß und sehr hell. Sie hat zwei Zimmer – ein Wohnzimmer, ein Schlafzimmer –, eine Küche und ein Bad. Ich wohne im dritten Stock.

Sprechen aktiv 5

Sind Sie neu hier?
Sprechen Sie Deutsch?
Ist Ihre Wohnung ruhig?
Ist Ihre Wohnung groß?
Wohnen Sie im Erdgeschoss?
Haben Sie einen Garten?
Finden Sie die Wohnung schön?

 Familenleben

Auftaktseite 2

Das ist meine Familie. Oben auf dem Foto rechts sind meine Eltern. Mein Vater heißt Thomas, meine Mutter heißt Sabine. Ich habe zwei Geschwister, mein Bruder heißt Tobias und meine Schwester heißt Lisa. Oben links sind meine Großeltern. Mein Großvater heißt Peter und meine Großmutter heißt Brigitte. Meine Familie ist groß. Ich habe auch …

B 3

- Hallo, Alberto, hier ist Elena. Kommst du bald nach Berlin?
- Ja, ich habe jetzt Zeit und komme gerne nach Berlin.
- Das ist schön. Wann kommst du?
- Ich komme am Wochenende und bleibe zwei Tage. O.k.? Was machen wir?
- Ja, super! Ich habe viele Ideen. In Berlin gibt es viele Sehenswürdigkeiten.

B 4b

Also, zuerst kaufen wir Lebensmittel im Supermarkt. Dann machen wir eine Radtour. Danach essen wir zu Mittag. Und dann besichtigen wir Berlin. Es gibt sehr viele Sehenswürdigkeiten. Wir trinken einen Kaffee und dann besuchen wir ein Straßenfest in Kreuzberg. Wie findest du das? …

B 5b

- Also, Marek, kommst du dann am Wochenende?
- Ja, natürlich. Was machen wir?
- Ich habe einige Ideen. Zuerst machen wir einen Stadtbummel. Dann besichtigen wir den Hafen. Der Hafen ist sehr groß und sehr interessant. Wir sehen dann auch die Elbphilharmonie. Danach besichtigen wir das Rathaus und trinken einen Kaffee in der Innenstadt. Was willst du noch machen?
- Ich möchte gerne …

C 1a

- In unserer Reihe „Senioren in Bremen" sprechen wir heute mit Frau Hermine Müller. Frau Müller, erzählen Sie doch von Ihrem Leben früher und von Ihrer Familie.
- Ach, früher war alles anders. Die Familien in Deutschland waren groß, eine Familie hatte oft fünf, sechs oder mehr Kinder.
- Wer ist das auf dem Foto?
- Auf dem Foto sind meine Großeltern und ihre Kinder. Meine Großeltern hatten sechs Kinder. Meine Mutter sitzt vorne in der Mitte.
- Was war Ihr Vater von Beruf?
- Mein Großvater war Arzt von Beruf, mein Vater war auch Arzt. Meine Mutter hatte keinen Be-

ruf. Sie hatte viel Arbeit im Haus. Wir waren drei Geschwister. Wir hatten natürlich keinen Computer und kein Smartphone. Wir waren viel draußen. Das war schön. Ich hatte keine langweilige Kindheit. Meine Kinder und Enkelkinder leben ganz anders.

C 1c

Früher war alles anders. Die Familien in Deutschland waren groß, eine Familie hatte oft fünf, sechs oder mehr Kinder. Auf dem Foto sind meine Großeltern und ihre Kinder. Meine Großeltern hatten sechs Kinder. Meine Mutter sitzt vorne in der Mitte. Mein Großvater war Arzt, mein Vater war auch Arzt. Meine Mutter hatte keinen Beruf. Sie hatte viel Arbeit im Haus. Wir waren drei Geschwister. Wir hatten natürlich keinen Computer und kein Smartphone. Wir waren viel draußen. Das war schön. Ich hatte keine langweilige Kindheit.

Sprechen aktiv 2b

1 schlafen **2** kaufen **3** besichtigen
4 lesen **5** sehen **6** essen **7** nehmen
8 faulenzen **9** sprechen **10** fahren

Sprechen aktiv 5

Der Sonntag bei Familie Schmidt.
Der Sonntag ist ruhig und gemütlich.
Alle schlafen lange.
Die Eltern kochen das Mittagessen.
Die Kinder spielen.
Dann essen sie Schokolade.
Frau Schmidt liest ein Buch.
Herr Schmidt schläft.
Danach besuchen sie Freunde.
Die Kinder sehen einen Film.

Sprechen aktiv 6

- Und? Was machen wir morgen?
- Wir sehen einen Film! Oder wir chillen und essen Pizza!
- Ich habe eine Idee. Wir nehmen die S-Bahn und fahren nach Potsdam. Potsdam ist sehr schön. Die Stadt hat viele Sehenswürdigkeiten.
- Gut. Wir fahren morgen nach Potsdam.
- Und was machen wir jetzt?
- Jetzt trinke ich noch einen Kaffee und dann kaufen wir Lebensmittel im Supermarkt.
- Prima! Kaufen wir auch Pizza?

Hörtexte

Station 1

1

1 ● Die bestimmen Artikel sind *der, die* und *das*, im Plural *die*. Die unbestimmten Artikel sind *ein* und *eine*.
   ● Entschuldigen Sie, können Sie das bitte wiederholen?

2 ● Kann ich heute 20 Minuten früher gehen? Ich habe einen Termin.
   ● Ja, das geht. Bitte machen Sie dann die Aufgaben 4 und 5 alleine zu Hause.

3 ● Haben Sie noch Fragen?
   ● Ja, was ist der Unterschied von *wo* und *woher*?

4 ● Können Sie bitte noch einmal erklären: Was ist *Plural*?
   ● Im Singular sagt man *kein Haus*, im Plural *keine Häuser*.

Der Tag und die Woche

A 2

1 ● Entschuldigung, wie spät ist es?
   ● Es ist halb sechs. Ach nein, es ist halb sieben.
   ● Ach, schon so spät.

2 ● Mach schnell! Es ist schon zwanzig nach sieben! Der Bus fährt in zehn Minuten.
   ● Nein, es ist erst Viertel nach sieben. Wir haben noch Zeit.
   ● Ach so, dann ist gut.

3 ● Wann kommst du?
   ● Ich bin um vier Uhr da.
   ● Also in zwei Stunden?
   ● Nein, in zweieinhalb Stunden. Es ist jetzt halb zwei.

4 ● Jetzt ist es zwanzig vor drei. Peter kommt um drei Uhr.
   ● Vielleicht kommt er auch später. Er ist selten pünktlich.

A 4a

1 Guten Tag. Wir begrüßen alle Passagiere, gebucht auf Flug Nr. LH 113 um 13.50 Uhr nach Frankfurt. Wir beginnen jetzt mit dem Einstieg.

2 Vorsicht an Gleis 3! Der ICE nach Hamburg-Altona, planmäßige Abfahrt 14 Uhr 19, fährt jetzt ein.

3 ● Hast du die Parkscheibe?
   ● Ja, hier. Wie viel Uhr ist es?
   ● 17 Uhr 30.

4 ● Wann fängt das Konzert an?
   ● Wir haben noch Zeit. Um 20 Uhr.

5 Es ist 6 Uhr 1 und hier ist Radio Brandenburg mit einem Verkehrshinweis für die Autofahrer.

C 2

● Michael, arbeitest du diese Woche?
● Nein, Montag und Dienstag arbeite ich nicht, aber Montag habe ich um 16.00 Uhr Basketballtraining und dann repariere ich auch mein Fahrrad. Das ist schon lange kaputt. Am Dienstagabend kommen Freunde. Wir kochen zusammen.
● Arbeitest du von Mittwoch bis Freitag?
● Ja, da arbeite ich, aber ich habe auch andere Pläne. Ich kaufe eine Fahrkarte nach Frankfurt, vielleicht am Mittwoch oder Donnerstag. In Frankfurt besuche ich am Wochenende meine Schwester. Am Freitagabend packe ich dann den Koffer und danach lese ich noch etwas, aber ich gehe früh schlafen.
● Schade, dann hast du ja fast keine Zeit für ein Treffen.
● Ja, aber sicher nächste Woche.

D 1

● Sandip Kumar, ja bitte?
● Hallo Sandip, hier ist Leonidas. Spielen wir zusammen Schach? Vielleicht am Dienstagnachmittag?
● Ja, gerne, aber nicht am Dienstag, da machen wir einen Ausflug nach Stuttgart. Hast du am Mittwoch Zeit?
● Ja, das geht. Um drei Uhr habe ich Zeit.
● Geht es auch später? Am Mittwochnachmittag habe ich einen Zahnarzttermin.
● Gut, dann komme ich um fünf. Ich bringe mein Schachspiel mit.
● Sehr gut. Dann bis Mittwoch.
● Bis Mittwoch. Tschüss!

Sprechen aktiv 4

Wie spät ist es?
Wie viel Uhr ist es?
Wann fängt der Kurs an?
Bis wann geht der Kurs?
Wann beginnt die Pause?
Wann hört der Kurs auf?
Hast du heute Zeit?

Spielen wir zusammen Schach?
Kommst du mit?

Sprechen aktiv 5

- Wann stehst du morgen auf?
- Um sechs Uhr.
- Furchtbar!
- Ich gehe joggen. Kommst du mit?
- Wie bitte? Um sechs Uhr?!
- Dann ist draußen alles noch ganz ruhig.
- Oh, wie schön! Aber nein. Nein danke.

Guten Appetit!

A 1

- Gehst du einkaufen?
- Ja, das mache ich und ich nehme Laura und Marie mit. Was brauchen wir?
- Ich schreibe einen Zettel. Haben wir noch Milch?
- Ja, hier ist noch eine Flasche.
- Also, wir brauchen keine Milch … aber … Ach ja! Kauf doch bitte Butter und vergiss die Eier nicht.
- Haben wir noch Brot?
- Nein, wir brauchen Brot. Aber hol das Brot bitte nicht im Supermarkt. Geh doch zum Bäcker. Da ist das Brot sehr gut.
- Dann ist alles klar. Kommt, Laura und Marie, wir gehen.
- Wartet noch einen Moment!
- Ja?!
- Hier … Vergesst den Einkaufszettel nicht! Und bringt auch noch Kaugummis mit!

A 3 a

1 Sonderangebot: Früchte aus Südamerika, zum Beispiel Bananen, das Kilo 1,20 €. Kaufen Sie Früchte aus Südamerika!

2 Nur heute: Joghurt im Angebot. Nehmen Sie drei Becher und bezahlen Sie zwei!

B 1 b

- Guten Tag, was möchten Sie?
- Ich hätte gerne 3 Kilo Kartoffeln.
- 3 Kilo Kartoffeln, bitte sehr. Haben Sie noch einen Wunsch?
- Ja, was kosten die Tomaten?
- Das Kilo kostet 2,90 Euro.
- Dann nehme ich ein Kilo.
- Gerne. Möchten Sie noch etwas?

- Danke, das ist alles.
- Das macht zusammen 7,70 Euro. Haben Sie es passend?
- Einen Moment … Nein, leider nicht. Ich habe nur zehn Euro.
- Dann bekommen Sie 2,30 Euro zurück.

B 2 b

1 • Was kosten die Tomaten?
  • Das Kilo kostet heute 1,60 Euro.

2 • Moment, der Wein ist doch im Angebot und kostet nur 4,29 Euro.
  • Ja, das stimmt. Er kostet nicht mehr 4,99 Euro. Ich korrigiere das.

3 • Schau mal, in dem Supermarkt sind gute Angebote. Ein Stück Butter kostet nur 99 Cent.
  • Ja, aber da kaufe ich nur selten ein. Andere Sachen sind manchmal teuer. Ein Liter Milch kostet 1,35 Euro. Das ist zu viel.

Sprechen aktiv 4

Ich hätte gern sechs Brötchen.
Ich hätte gern 200 Gramm Käse.
Was kosten die Kartoffeln?
Dann nehme ich zwei Kilo.
Ich möchte noch ein Hähnchen.
Wie viel kostet das Hähnchen?
Danke, das ist alles.
Was macht das zusammen?

Sprechen aktiv 5

- Also, was brauche ich? Zwei Kilo Reis, 200 Gramm Joghurt, einen Liter Milch, ein Kilo Tomaten, zehn Zwiebeln, zwei Orangen, ein Pfund Hackfleisch, einen Kasten Wasser, Bier, Brot und Kuchen. Okay, das Brot und den Kuchen kaufe ich später in der Bäckerei. Wasser und Bier kaufe ich im Supermarkt, Reis, Joghurt, Milch und das Hackfleisch auch. Alles klar!

- Guten Tag, was möchten Sie?
- Guten Tag! Ich hätte gerne ein Kilo Tomaten.
- Ein Kilo Tomaten … Haben Sie sonst noch einen Wunsch?
- Ja, zwei Orangen.
- Sehr gern! … Sonst noch etwas?
- Ja, ich brauche noch zehn Zwiebeln. Und das ist dann alles.
- Vielen Dank. Das macht zusammen 4 Euro und 3 Cent.
- Ich habe es leider nicht passend.
- Haben Sie vielleicht 3 Cent?

- Einen Moment … Ich habe nur 5 Cent.
- Das ist auch gut. Danke! So – und dann bekommen Sie 16 Euro und 2 Cent zurück.

 ## Arbeit und Beruf

B 2 a

- Basketballverein Spandau, Ulrike Rekowski am Apparat. Was kann ich für Sie tun?
- Guten Tag, hier spricht Thomas Beeger. Ich brauche Ihre Bankverbindung, denn ich will den Mitgliedsbeitrag überweisen.
- Die IBAN ist DE46 1005 0000 0036 2037 00 bei der Berliner Sparkasse.
- Vielen Dank und auf Wiederhören.

B 2 b

- Sprachschule Becker, hier spricht Helene Deck.
- Guten Tag, mein Name ist Matteo Bernardini. Ich möchte die Gebühr für den B2-Abendkurs überweisen, aber ich kann Ihre Bankverbindung nicht finden.
- Unsere IBAN ist DE87 7706 0100 0025 7000 07 bei der VR-Bank Bamberg.
- Vielen Dank und auf Wiederhören.

Sprechen aktiv 4

Frau Deck geht um halb zehn aus dem Haus. Sie geht heute zuerst zum Friseur. Sie bleibt von zehn bis elf beim Friseur. Um elf Uhr geht sie vom Friseur zur Arbeit. Nach der Arbeit holt sie die Kinder von der Kita ab. Sie geht mit den Kindern zusammen einkaufen. Dann gehen sie nach Hause. Ihr Mann ist schon zu Hause und macht das Abendessen.

Sprechen aktiv 5 b

- Findest du deine Arbeit gut?
- Ja, die Arbeit ist wirklich interessant.
- Musst du auch mit den Kunden sprechen?
- Nein, das macht der Chef. Er hat den Kontakt zu den Kunden.
- Kannst du dann nicht zu Hause arbeiten?
- Doch, das geht schon. Ich brauche ja nur einen Computer und das Internet. Aber ich will nicht alleine arbeiten. Ich arbeite gern im Team.

Wortliste

Die alphabetische Wortliste enthält den Wortschatz der Lektionen 1–7 des Kursbuches. Zahlen, grammatische Begriffe sowie Namen von Personen, Städten und Ländern sind in der Liste nicht enthalten.

Wörter, die zum Wortschatz des **Test Start Deutsch 1** und des **Deutsch-Test für Zuwanderer (A2–B1)** gehören, sind **fett** gedruckt.

Die Zahlen geben an, wo die Wörter zum ersten Mal vorkommen (z. B. **5 B 1a** bedeutet Lektion **5**, Block **B**, Übung **1a**).

AT bedeutet Auftaktseite der jeweiligen Lektion.

Ein · oder ein – unter dem Wort zeigt den Wortakzent:

a̠ = kurzer Vokal,

a̲ = langer Vokal.

Ein | markiert ein trennbares Verb: a̠b|fahren = trennbares Verb.

Nach dem Nomen finden Sie immer den Artikel und die Pluralform:

" = Umlaut im Plural,

Sg. = dieses Wort gibt es (meistens) nur im Singular,

Pl. = dieses Wort gibt es (meistens) nur im Plural.

Bei den Verben ist immer der Infinitiv aufgenommen. Eine Liste der unregelmäßigen Verben finden Sie auf der Seite 114.

4-Zi̠mmer-Wohnung, die, -en	3	D	1a

A

a̠b	7	A	1a
A̲bend, der, -e	5	C	1b
A̲bendessen, das, -	6	A	5
A̲bendkurs, der, -e	7	B	2b
a̲ber (1): Der ist aber süß!	4	A	1a
a̲ber (2): … aber ich muss oft am Wochenende arbeiten.	7	A	1a
a̠b|holen	7	C	5
A̠bkürzung, die, -en	3	D	3
ach so̲	1	D	4a
Adre̠sse, die, -n	2	D	
a̠lle	4	B	1a
alle̲in, alle̲ine	7	A	5
a̠lles	4	C	1c
Alphabe̲t, das, -e	1	B	1
a̲lso	5	A	6
a̠lt	2	AT	
A̠ltenpfleger/in, der/die, -/-nen	1	E	1
a̠nders	4	C	1c
a̠n|fangen	5	B	1a
A̠ngebot, das, -e	6	A	3a
a̠n|halten	9	C	2b
A̠nmeldeformular, das, -e	2	D	2a
A̠nmeldung, die, -en	7	A	1a
a̠n|nehmen	7	A	1a
a̠n|rufen	5	B	1a
a̠nstrengend	7	A	1a
a̠ntworten	1	B	4
A̠nzeige, die, -n	3	D	2
A̠pfel, der, "-	6	AT	1
A̠pfelsaft, der, "-e	6	A	2
Appeti̲t, der, Sg.	6	AT	
A̠rbeit, die, -en	2	A	1a
a̠rbeiten	2	A	1a
A̠rbeitsort, der, -e	7	A	1a
A̠rbeitsplatz, der, "-e	7	A	1a
A̠rbeitszeit, die, -en	7	A	1a
Arti̠kel, der, -	2	B	2c
Arzt/Ä̲rztin, der/die, "-e/-nen	1	E	1
A̲sienladen, der, "-	3	C	2a
auch	1	C	1a
auf: auf Deutsch	2	B	2c
auf Wi̲ederhören	2	D	2a
auf Wi̲edersehen	1	C	1a
A̲ufgabe, die, -n	7	A	1a
auf|hören	5	B	1a
auf|räumen	5	B	1a
auf|stehen	5	B	1a
aus	1	AT	2
aus|fallen	5	B	3
A̲usflug, der, "-e	5	B	4a
aus|gehen	5	B	1a
A̲utokennzeichen, das, -	1	D	3

Wortliste

B

backen	6	D	1a
Bäcker, der, -	6	A	1b
Bäckerei, die, -en	6	B	1a
Bad, das, "-er	3	D	2
Bahnhof, der, "-e	7	C	5
bald	1	C	1a
Balkon, der, -e/-s	3	D	1a
Banane, die, -n	6	AT	1
Bank (1), die, -en	7	AT	2
Bankkaufmann/Bankkauffrau, der/ die, Pl.: Bankkaufleute	7	AT	
Bankverbindung, die, -en	7	B	2b
Basketballverein, der, -e	7	B	2a
Baustelle, die, -n	7	AT	2
bearbeiten	7	A	1a
Becher, der, -	6	A	3a
bedienen	7	C	1a
beginnen	5	A	3a
bei	2	A	1a
Beispiel, das, (hier: zum Beispiel)	6	A	3a
bekommen	6	B	1c
beliebt	6	D	1a
bequem	3	AT	2
beraten	7	A	1a
Beruf, der, -e	1	E	
besichtigen	4	B	4a
besuchen	4	B	4a
Bett, das, -en	3	AT	1
bezahlen	3	D	1a
Bier, das, -e	6	A	5
Bild, das, -er	3	AT	1
Birne, die, -n	6	A	3b
bis	1	C	1a
bisschen, ein bisschen	2	A	1a
bitte	6	A	1b
blau	3	A	4a
bleiben	4	B	3
Bleistift, der, -e	2	B	2a
Blog, der, -s	6	D	1a
Blume, die, -n	3	A	1a
brauchen	3	A	
braun	3	A	4a
Briefträger/in, der/die, -/-nen	7	AT	
Brille, die, -n	2	B	1a
bringen	7	A	1a
Brot, das, -e	6	AT	1
Brötchen, das, -	6	A	5
Bruder, der, "-	4	AT	
Buch, das, "-er	2	B	1a

Buchhalter/in, der/die, -/-nen	1	E	1
Buchstabe, der, -n	1	B	
buchstabieren	1	B	3
Büro, das, -s	7	AT	2
Bus, der, -se	4	B	2
Busreise, die, -n	7	B	2c
Butter, die, Sg.	6	AT	1

C

CD, die, -s	2	B	1a
Cent, der, -	2	B	2a
Chef/in, der/die, -s/-nen	7	C	1a
chillen	5	B	4a
Chinesisch	2	A	1a
Chips, die, Pl.	6	A	4
Computer, der, -	4	C	1c
Computerkurs, der, -e	5	A	6
Cousin, der, -s	4	AT	3
Cousine, die, -n	4	AT	3

D

da	3	AT	2
dabeihaben	4	A	1a
Dachgeschoss, das, -e	3	C	1b
danach	4	B	4c
Dank, der, (hier: Vielen Dank)	2	D	2a
danke	1	C	1a
dann	3	A	5a
das ist …	1	A	1a
denn (1): … denn am Wochenende will ich nicht arbeiten.	7	A	1a
deshalb	7	A	1a
Deutsch	1	C	4a
Deutschkurs, der, -e	2	B	
Dienstag, der, -e	5	C	1a
Dienstagabend, der, -e	5	C	3b
Dienstagnachmittag, der, -e	5	D	1b
Dienstagvormittag, der, -e	5	C	2
doch	6	A	1b
Donnerstag, der, -e	5	C	1a
Dose, die, -n	6	A	4
draußen	4	C	1c
drinnen	7	A	5
dunkel	3	D	4a
Durst, der, Sg.	6	A	2

E

EC-Karte, die, -n	7	B	1
Ei, das, -er	6	A	1a
Einbauküche, die, -n	3	D	3
Einfamilienhaus, das, "-er	3	D	2
ein|kaufen	5	B	1a
Einkaufszettel, der, -	6	A	
Eis, das, Sg.	6	D	1a
elegant	3	A	5a
Elektriker/in, der/die, -/-nen	1	E	1
Eltern, die, Pl.	4	AT	1
E-Mail-Adresse, die, -n	2	D	1
enden	5	A	3b
Englisch	2	A	1a
Englischkurs, der, -e	5	A	6
Enkel/in, der/die, -/-nen	4	AT	3
Enkelkind, das, -er	4	AT	3
entschuldigen	5	A	1a
Entschuldigung!	1	A	1a
Erbse, die, -n	6	A	4
Erdgeschoss, das, -e	3	C	1b
erklären	7	A	1a
essen	4	B	1a
Essenszeit, die, -en	6	D	1a
etwas	6	B	1c
Euro, der –s	2	B	2a

F

fahren	4	B	1a
Fahrkarte, die, -n	5	C	2
Fahrrad, das, "-er	5	C	2
Familie, die, -n	2	D	2b
Familienfoto, das, -s	4	A	1a
Familienleben, das, Sg.	4	AT	
Familienname, der, -n	1	B	4
Farbe, die, -n	3	A	4a
faulenzen	4	B	1a
Fenster, das, -	2	B	1a
fern|sehen	5	B	1a
Fernseher, der, -	3	AT	1
Film, der, -e	4	B	1a
finden (1): Wie findest du ...?	3	A	5a
Fisch, der, -e	6	AT	1
Flasche, die, -n	2	B	1a
Fleisch, das, Sg.	6	D	1a
Fleischwurst, die, "-e	6	B	3a
Flugzeug, das, -e	5	A	4b
formell	1	C	
Formular, das, -e	7	A	1a

Foto, das, -s	4	A	1a
Frage, die, -n	5	A	3a
fragen	1	AT	2
Frau, die, -en	1	C	1a
frei	2	D	2a
frei haben	7	A	1a
Freitag, der, -e	5	C	1a
Freizeit, die, Sg.	4	B	
Freund/in, der/die, -e/-nen	4	B	1a
Friseur/in, der/die, -e/-nen	1	E	1
Frucht, die, "-e	6	A	3a
früh	7	A	2
früher	4	C	
Frühstück, das, -e	6	D	1a
frühstücken	6	D	1a
für	6	A	5
furchtbar	3	A	5b
Fußball, der, "-e	5	AT	
Fußballballtraining, das, Sg.	7	C	2
Fußballverein, der, -e	7	B	2c
Fußballspiel, das, -e	5	A	6

G

ganz	3	A	5b
Garage, die, -n	3	D	2
Garten, der, "-	3	D	1a
Gast, der, "-e	7	A	1a
geben: es gibt	3	C	2a
Gebühr, die, -en	7	B	2b
gehen (1): Wie geht es Ihnen?	1	C	1a
gehen (2): Der Kurs geht bis 12 Uhr.	5	A	6
gehen (3): Ja, das geht.	5	D	1b
gehen (4): Sie geht aus dem Haus.	7	C	1a
gelb	3	A	4a
Geld, das, Sg.	7	A	1a
Geldautomat, der, -en	7	B	1
Gemüse, das, Sg.	6	B	1a
gemütlich	3	A	5b
genau	1	D	4a
genug	3	D	1a
geöffnet	7	A	1a
gern, gerne	4	B	3
Geschäft, das, -e	3	C	2a
Geschwister, die, Pl.	4	AT	1
gestern	7	C	4
Getränk, das, -e	6	A	5
Glas, das, "-er	6	A	4
Grafiker/in, der/die, -/-nen	1	E	1
Gramm, das, Sg.	6	A	5
grau	3	A	4a

Wortliste

Griechisch	2	A	1a
grillen	5	AT	
groß	3	AT	2
Großeltern, die, Pl.	4	AT	1
Großmutter, die, "-	4	AT	
Großvater, der, "-	4	AT	
grün	3	A	4a
gucken	3	A	5a
günstig	3	D	4b
Gurke, die, -n	6	D	1a
gut	1	C	1a
Guten Morgen	1	A	1a
Guten Tag	1	AT	

H

haben	2	D	2a
Hackfleisch, das, Sg.	6	B	3a
Hafen, der, "-	4	B	5a
Hafenrundfahrt, die, -en	4	B	5a
Hähnchen, das, -	6	AT	1
halb	5	A	1a
Hallo	1	A	1a
Haltestelle, die, -n	7	C	3
Hand, die, "-e	7	A	5
Handy, das, -s	2	B	1a
Handynummer, die, -n	1	D	4a
hässlich	3	AT	2
Haus, das, "-er	1	A	1a
Hausaufgabe, die, -n	5	C	1a
Hausfrau, die, -en	1	E	2c
Hausmeister/in, der/die, -/-nen	7	AT	
Hausnummer, die, -n	1	D	2
Heft, das, -e	2	B	1a
Heimat, die, Sg.	2	AT	
heißen	1	AT	
helfen	7	A	1a
hell	3	D	4a
Herd, der, -e	3	AT	1
Herr, der, -en	1	C	1a
heute	5	B	3
hier	1	A	1a
Hobby, das, -s	5	AT	2
Hochhaus, das, "-er	3	D	1a
holen	6	A	1b
Honig, der, Sg.	6	D	1a
hören	1	AT	1
Hubschrauberpilot/in, der/die, -en/-nen	7	AT	
Hunger, der, Sg.	6	A	2

I

IBAN, die, Sg.	7	B	1
ich hätte gern …	6	B	1c
Idee, die, -n	4	B	3
Imbiss, der, -e	6	D	1a
immer	7	A	1a
in	1	C	5a
informell	1	C	
Ingenieur/in, der/die, -e/-nen	1	E	1
interessant	2	B	4
Internet, das, Sg.	5	AT	

J

ja	1	D	4a
ja bitte?	5	D	1b
Jahr, das, -e	2	D	2a
jeden Tag	5	B	3
jetzt	2	A	1a
joggen	5	AT	
Joghurt, der, -s	6	AT	1

K

Kaffee, der, -s	4	B	4a
Kakao, der, -s	6	D	1a
kalt	3	D	4a
Kantine, die, -n	6	D	1a
kaputt	2	B	4
Karriere, die, Sg.	7	A	5
Kartoffel, die, -n	6	AT	1
Käse, der, Sg.	6	AT	1
Käsekuchen, der, -	6	B	3a
Käseplatte, die, -n	6	D	1a
Kasse, die, -n	7	A	1a
Kasten, der, "-	6	A	4
kaufen	3	A	2b
Kaugummi, der, -s	6	A	1a
kein, kein, keine	3	A	1a
Kellner/in, der/die, -/-nen	7	AT	
kennen	2	AT	1b
Kfz-Mechaniker/in, der/die, -/-nen	7	AT	
Kilo, das, -s	6	A	3a
Kilogramm, das, Sg.	6	A	5
Kind, das, -er	3	D	1a
Kinderarzt/ärztin, der/die, "-e/-nen	2	A	1a
Kindergarten, der, "-	7	C	2
Kindheit, die, Sg.	4	C	1a
Kino, das, -s	5	B	1a

Kiosk, der, -e	6	B	1a
Kita, die, -s	2	D	2a
klasse	3	B	1a
klein	3	AT	2
klingeln	3	C	1b
Koch/Köchin, der/die, "-e/-nen	7	AT	
kochen	5	D	2c
Kollege/Kollegin, der/die, -n/-nen	7	C	1a
kommen	1	AT	2
Kommode, die, -n	3	B	1b
Konditorei, die, -en	6	D	1a
können	7	A	1a
Kontakt, der, -e	7	A	1a
Kontinent, der, -e	2	AT	1a
Kontoauszug, der, "-e	7	B	1
Kontonummer, die, -n	7	B	1
kontrollieren	7	A	1a
Konzert, das, -e	5	A	4b
kosten	2	B	2a
Kranführer/in, der/die, -/-nen	7	AT	
Krankenhaus, das, "-er	7	A	1a
Krankenpfleger/in, der/die, -/-nen	7	A	1a
Krankenschwester, die, -n	7	A	1a
Krimi, der, -s	5	A	6
Küche, die, -n	3	AT	
Kuchen, der, -	6	D	1a
Kugelschreiber (Kuli), der, - (Kulis)	2	B	1a
Kühlschrank, der, "-e	3	A	1a
Kunde/Kundin, der/die, -n/-nen	6	B	1c
Kurs, der, -e	5	A	3a
Kursliste, die, -n	7	A	1a
Kursraum, der, "-e	2	B	5
Kurstermin, der, -e	7	A	1a

L

Lage, die, Sg.	3	D	2
Lampe, die, -n	2	B	1a
Land (1), das, "er	1	B	4
lang(e): Ich bin schon lange hier.	1	A	1a
langsam	7	A	1a
langweilig	3	A	5b
Laptop, der, -s	2	B	1a
laut	3	D	4a
leben	2	A	1a
Leben, das, -	7	C	
Lebensmittel, das, -	4	B	4a
Lehrer/in, der/die, -/-nen	1	E	1

leider	5	D	2a
lernen	1	C	4a
lesen	1	AT	1
Leute, die, Pl.	6	D	1a
lieben	2	A	1a
Lieblingsfarbe, die, -n	3	A	4b
liegen	2	AT	2a
lila	3	A	4a
links	3	C	2a
Liter, der, -	6	A	5
Lust haben	5	D	2a

M

machen	1	C	4a
Mais, der, Sg.	6	A	1a
mal	3	A	5a
malen	5	AT	
man	1	B	3
manchmal	6	AT	2a
Mann, der, "-er	4	A	1a
Markt, der, "-e	6	B	1a
Marmelade, die, -n	6	A	4
mehr	4	A	2
Mehrfamilienhaus, das, "-er	3	C	
meinen	5	D	2a
meistens	7	A	1a
Mensch, der, -en	7	A	1a
Metzgerei, die, -en	6	B	1a
Miete, die, -n	3	D	2
Mikrowelle, die, -n	3	A	
Milch, die, Sg.	6	AT	1
mit	3	D	1a
mit|bringen	5	D	1b
Mitgliedsbeitrag, der, "-e	7	B	2a
mit|kommen	5	B	1a
mit|nehmen	5	B	1a
Mittag, der, -e	5	C	1b
Mittagessen, das, -	6	D	1a
Mittagspause, die, -n	7	C	1a
Mitte, die, Sg., (hier: in der Mitte)	4	C	1c
Mittwoch, der, -e	5	C	1a
Mittwochnachmittag, der, -e	5	D	1b
Möbel, die, Pl.	3	AT	1
möchten	6	B	1c
modern	3	AT	2
mögen	6	C	
Moment, der, -e	1	B	3
Montag, der, -e	5	C	1a
morgen	1	C	2
Morgen, der, Sg.	5	C	1b

morgens	7	A	5
Musik, die, Sg.	5	AT	
Müsli, das, -s	6	D	1a
müssen	7	A	1a
Mutter, die, "-	4	AT	
Muttersprache, die, -n	2	A	1a

N

na ja	1	C	1a
nach Hause	4	B	2
nach (1): nach Potsdam	4	B	1a
nach (2): Viertel nach sieben	5	A	1a
Nachbar/in, der/die, -n/-nen	7	C	2
Nachmittag, der, -e	5	C	1b
Nachname, der, -n	2	D	1
Nacht, die, "-e	5	C	1b
Nachtisch, der, -e	6	D	1a
Nachtschicht, die, -en	7	A	1a
Nähe, die, (hier: in der Nähe)	3	D	1a
Name, der, -n	1	A	1a
Nationalität, die, -en	2	A	
natürlich	2	A	1a
Nebenkosten, die, Pl.	3	D	2
Neffe, der, -n	4	AT	3
nehmen	4	B	1a
nein	1	D	4a
neu	1	A	1a
Neubau, der, Pl.: Neubauten	3	D	2
nicht	1	D	4a
Nichte, die, -n	4	AT	3
nie	6	AT	2a
niemand	4	B	1a
noch	2	D	2a
Nudeln, die, Pl.	6	AT	1
Nummer, die, -n	1	D	4a
nur	4	AT	3

O

oben	3	C	2a
Obergeschoss, das, -e	3	D	3
Obst- und Gemüseladen, der, "-	3	C	2a
Obst, das, Sg.	6	B	1a
oder	4	C	1c
offiziell	5	A	5
öffnen	7	C	1a
oft	2	A	1a
ohne	3	D	4b
okay (o.k.)	3	A	5b
Olive, die, -n	6	A	3b

Onkel, der, -	4	AT	3
Operation, die, -en	7	A	1a
orange	3	A	4a
Orange, die, -n	6	A	1a
Orangensaft, der, "-e	6	D	1a
ordentlich	3	AT	2

P

Packung, die, -en	6	A	4
Papier, das, -e	2	B	1a
Parkzeit, die, -en	5	A	4b
passend	6	B	1c
Patient/in, der/die, -en/-nen	7	AT	2
Pause, die, -n	5	A	3b
Person, die, -en	6	AT	2b
Pfund, das, Sg.	6	A	5
Picknick, das, -s	6	A	5
Pizza, die, -s/Pizzen	4	B	2
Plakat, das, -e	2	B	1a
Platz (1), der, "-e: Haben Sie noch Plätze frei?	2	D	2a
Platz (2), der, Sg.: Die Kinder brauchen Platz.	3	D	1a
Post, die, Sg.	7	C	2
Postleitzahl, die, -en	2	D	1
Preis, der, -e	6	B	2
prima	2	B	3c
probieren	6	A	3b
Problem, das, -e	7	A	1a
Programmierer/in, der/die, -/-nen	1	E	2c
Pudding, der, Sg.	6	D	1a

Q

Quadratmeter, (qm), der, -	3	D	1a

R

Radiowecker, der, -	5	A	4b
Radtour, die, -en	4	B	4a
rechts	3	C	2a
Regal, das, -e	3	AT	1
Reihenhaus, das, "-er	3	D	1a
Reinigungskraft, die, "-e	7	AT	
Reis, der, Sg.	6	AT	1
Reisebüro, das, -s	7	B	2c
reisen	7	A	5
reparieren	5	C	2
Restaurant, das, -s	7	AT	2
richtig	2	B	3c

telefonieren	7	B	2a
Telefonnummer, die, -n	2	C	4a
Teppich, der, -e	3	AT	1
Termin, der, -e	7	C	1a
Terrasse, die, -n	3	D	1a
Thailändisch	2	A	3c
Tisch, der, -e	2	B	1a
Tochter, die, "-	4	AT	3
toll	3	A	5b
Tomate, die, -n	6	AT	1
treffen	4	B	1a
Treffpunkt, der, -e	7	A	1a
trinken	4	B	4a
tschüss	1	C	1a
Tür, die, -en	2	B	1a
Türkisch	2	A	1a
Tüte, die, -n	6	A	4

U

übermorgen	5	B	3
überweisen	7	B	2a
Überweisung, die, -en	7	A	1a
Überweisungsformular, das, -e	7	B	1
Uhr, die, -en	2	B	1a
um (1): um neun Uhr	5	A	3a
unbequem	3	AT	2
und	1	AT	3a
unordentlich	3	AT	2
unten	3	C	2a
unterschreiben	7	A	1a
unterstützen	7	A	1a
USB-Stick, der, -s	2	B	1a

V

Vater, der, "-	4	AT	
verdienen	7	A	1a
vergessen	6	A	1b
verheiratet	3	D	1a
Verkäufer/in, der/die, -/-nen	1	E	1
Verpackung, die, -en	6	A	4
Verwandte, der/die, -n	4	AT	3
viel	3	D	1a
viele	4	AT	3
vielleicht	5	D	1b
Viertel, das, (hier: Sg.)	5	A	1a
Visitenkarte, die, -n	2	D	1
von (1): die Kindheit von Eva	4	C	1a
von (2): Sie kommt von der Arbeit.	7	C	1a

von ... bis	5	A	6
von Beruf	1	E	
vor (1): Viertel vor sieben	5	A	1a
vor|bereiten	7	A	1a
Vorhang, der, "-e	3	AT	1
Vormittag, der, -e	5	C	1b
Vorname, der, -n	1	B	4
vorne	4	C	1c
vor|stellen	7	A	1a
Vorwahl, die, -en	2	C	4a

W

Walzer, der, -	7	A	4
Wand, die, "-e	3	A	4a
wann	4	B	3
warm	3	D	4a
Warmmiete, die, -n	3	D	1a
warten	6	A	1b
was	1	C	4a
Waschbecken, das, -	3	B	1b
Waschmaschine, die, -n	3	A	3a
Wasser, das, Sg.	6	AT	1
wechseln	7	A	1a
weg|fahren	5	B	4a
Wein, der, -e	6	AT	1
weiß	3	A	4a
Weißbrot, das, -e	6	B	3a
wer	1	A	2a
wie	1	AT	
Wie bitte?	1	B	3
wie viele	2	B	5
willkommen	1	AT	
wirklich	3	B	1a
wissen	7	A	1a
wo	1	C	5a
Woche, die, -n	5	C	
Wochenende, das, -n	4	B	3
woher	1	AT	2
wohin	5	B	4a
wohnen	1	A	1a
Wohnort, der, -e	3	D	1b
Wohnung, die, -en	3	AT	
Wohnzimmer, das, -	3	AT	
wollen	7	A	1a
Wörterbuch, das, "-er	2	B	1a
Wunsch, der, "-e	6	B	1c
Wurst, die, "-e	6	AT	1
Wurstplatte, die, -n	6	D	1a

Z

Zahl, die, -en	1	D	
Zahnarzt/-ärztin, der/die,	7	C	5
"-e/-nen			
Zahnarzttermin, der, -e	5	D	1b
Zeit, die, -en, (hier: Zeit haben)	4	B	3
Zeitung, die, -en	5	B	1a
zentral	3	D	2
Zentralheizung, die, -en	3	D	3
Zimmer, das, -	3	D	1a
zu (1): Sie fährt zum Supermarkt.	7	C	1a
zu Hause	4	A	2
Zucker, der, Sg.	6	A	1a
zuerst	4	B	4c
Zug, der, "-e	5	A	4b
zurück	6	B	1c
zusammen	5	D	1b
Zwiebel, die, -n	6	AT	1
zwischen	6	D	1a

Unregelmäßige Verben

Die Liste enthält alle unregelmäßigen Verben aus **PLUSPUNKT DEUTSCH** – *Leben in Deutschland*.

Infinitiv	Präsens er/es/sie/man
anfangen	fängt an
annehmen	nimmt an
ausfallen	fällt aus
beraten	berät
essen	isst
fahren	fährt
geben	gibt
haben	hat
helfen	hilft
lesen	liest
mitnehmen	nimmt mit
mögen	mag
nehmen	nimmt
schlafen	schläft
sehen	sieht
sein	ist
sprechen	spricht
treffen	trifft
vergessen	vergisst
wegfahren	fährt weg
wissen	weiß

Cover Cornelsen Schulverlage, Hugo Herold – **U2** Cornelsen Schulverlage, Dr. Volker Binder – **S. 4** 1 + 2 + 4 + 7: Cornelsen Schulverlage, Hugo Herold; 3: Fotolia, ArTo; **5:** Shutterstock, Eugenio Marongiu; 6: Shutterstock, Bauer Alexander – **S. 6** 8: Shutterstock, StockLite; 9: ClipDealer, Axel Bueckert; 10: Shutterstock, william casey; 11: Bundesagentur für Arbeit; 12: Fotolia, Gina Sanders; 13: picture-alliance / ZB / euroluftbild; 14: Cornelsen Schulverlage, Hugo Herold – **S. 9** Cornelsen Schulverlage, Hugo Herold – **S. 10** Cornelsen Schulverlage, Hugo Herold – **S. 11** oben: Fotolia, mnimage; unten: Cornelsen Schulverlage, Hugo Herold – **S. 12** links: Shutterstock, Monkey Business Images; rechts: Shutterstock, Pressmaster – **S. 13** oben links: Shutterstock, Monkey Business Images; oben rechts: Shutterstock, Patrizia Tilly; unten: Cornelsen Schulverlage, Hugo Herold – **S. 14** oben: Shutterstock, ProKasia; unten: Shutterstock, ESTUDI M6 – **S. 15** 1. Reihe links: Shutterstock, RGtimeline; 1. Reihe 2. von links: Shutterstock, branislavpudar; 1. Reihe 2. von rechts: Fotolia, contrastwerkstatt; 1. Reihe rechts: Shutterstock, Alexander Raths; 2. Reihe links: Shutterstock, Alexander Raths; 2. Reihe Mitte: Fotolia , Kadmy; 2. Reihe rechts: Shutterstock, Tyler Olson; 3. Reihe links: Fotolia, contrastwerkstatt, 3. Reihe Mitte: Fotolia, vukas; 3. Reihe rechts: Shutterstock, auremar; unten: Cornelsen Schulverlage, Hugo Herold – **S. 16** unten links: picture-alliance / Geisler-Fotop; unten 2. von links: picture-alliance / sampics / Ste; unten Mitte: picture-alliance / dpa; unten 2. von rechts: picture-alliance / dpa – **S. 17** Cornelsen Schulverlage, Björn Schumann – **S. 19** 1: Fotolia, SeanPavonePhoto; 2: Shutterstock, claudio zaccherini; 3: Fotolia, Michael Mihin; 4: Fotolia, 123455543; 5: Fotolia, cool chap; 6: Fotolia, Faraways; 7: Shutterstock, Pius Lee; 8: Your photo today / A1 pix / Superbild – **S. 20** oben: Fotolia, Jeanette Dietl; 2. von oben: Shutterstock, ArtFamily; Mitte: Shutterstock, AlenD; 2. von unten: Fotolia, leungchopan; unten: Shutterstock, Ozgur Coskun – **S. 21** oben: Fotolia, goodluz; unten links: Photoshot, Tetra Images; unten rechts: Photoshot, Tetra Images – **S. 22** oben links: Shutterstock, Vlue; oben rechts: Cornelsen Schulverlage, Hugo Herold; unten links: Shutterstock, Julia Ivantsova; unten Mitte: Shutterstock, Hong Vo; unten rechts: Shutterstock, MishAl – **S. 23** 1: Fotolia, R+R; 2: Shutterstock, rj lerich; 3: Fotolia, Foto-Ruhrgebiet; 4: Shutterstock, jun. SU.; 5: Shutterstock, Hong Vo; 6: Shutterstock, Amero; unten: Cornelsen Schulverlage, Hugo Herold – **S. 25** Fotolia, poplasen – **S. 26** oben links: Fotolia, Vladyslav Danilin; oben Mitte: Fotolia, Zerbor; oben rechts: Fotolia, Cobalt; unten links: Shutterstock, Ingvar Bjork; unten Mitte: Fotolia, BEAUTYofLIFE; unten rechts: Fotolia, arthurdent – **S. 27** Cornelsen Schulverlage, Björn Schumann – **S. 29** oben links: Fotolia, Matthias Buehner; oben rechts: Fotolia, lightpixel; unten rechts: Shutterstock, Paul Maguire – **S. 30** Fotolia, Kzenon – **S. 31** oben: Shutterstock, Iriana Shiyan; Mitte: Fotolia, styleuneed; unten links: Shutterstock, lawyerphoto; unten rechts: Shutterstock, StudioSmart; unten rechts: Fotolia, Marina Lohrbach – **S. 32** oben links: Shutterstock, Nezabudkina;

oben rechts: Fotolia, numax3d; Mitte links: Shutterstock, Praisaeng; Mitte rechts: Fotolia, vichie81; unten links: Shutterstock, Maksym Bondarchuk; unten Mitte: Shutterstock, Maxx-Studio; unten rechts: Fotolia, ChinKS – **S. 33** oben: Fotolia, ArTo – **S. 34** oben: Shutterstock, Lisa S.; Mitte: ClipDealer, ArTo; unten: Shutterstock, LianeM – **S. 35** oben links: Fotolia, Port Folio; oben rechts: Fotolia, perschfoto; unten links: Fotolia, britta60 – **S. 37** Cornelsen Schulverlage, Björn Schumann – **S. 39** oben links + Mitte + oben rechts: Cornelsen Schulverlage, Hugo Herold; unten links: Fotolia, Valeriy Velikov; unten rechts: Shutterstock, Aubord Dulac – **S. 40** oben links: Fotolia, fotofreaks; oben rechts: Shutterstock, Alena Root; 2. von oben: Shutterstock, TravnikovStudio; 2. von unten: Shutterstock, Roman Sigaev; unten: Shutterstock, Golden Pixels LLC – **S. 41** links: Shutterstock, baranq; rechts: Shutterstock, Blaj Gabriel – **S. 42** oben: Cornelsen Schulverlage, Hugo Herold; unten: Shutterstock, lightpoet – **S. 43** oben + A + C + E: Cornelsen Schulverlage, Hugo Herold; B: Fotolia, DragonImages; D: Fotolia, kameraauge; F: Fotolia, Yvonne Bogdanski – **S. 44** München oben links: Mauritius images / Bernd Römmelt; München unten links: Fotolia, Kzenon; München unten rechts: Shutterstock, Bucchi Francesco; Hamburg links: Fotolia, Jan Schuler; Hamburg oben rechts: Fotolia, Sven Petersen; Hamburg unten rechts: Fotolia, ng_photo; Berlin oben: Fotolia, Lars Kilian; Berlin unten links: Fotolia, Katja Xenikis; Berlin unten rechts: Fotolia, travelwitness; unten: Cornelsen Schulverlage, Hugo Herold – **S. 45** oben: Mauritius images / imageBROKER / Norbert Michalke; unten: Fotolia, krutoeva – **S. 47** Cornelsen Schulverlage, Björn Schumann – **S. 49** oben: Cornelsen Schulverlage, Hugo Herold; Mitte: Shutterstock, gpointstudio; unten: Shutterstock, Daniel M Ernst – **S. 50** oben: Fotolia, Kaiya_Rose; Mitte links: Shutterstock, glo; Mitte rechts: Fotolia, mnimage; 2. von unten: Shutterstock, Marc Osborne; unten: Shutterstock, pixelglasses – **S. 51** 1: Shutterstock, Syda Productions; 2: Shutterstock, Jerry Horbert; 3: Cornelsen Schulverlage, Maria Funk; 4: Fotolia, Petro Feketa; 5: Fotolia, Warren Goldswain; 6: Fotolia, CandyBox Images; 7: Shutterstock, racorn; 8: Fotolia, fotoinfot – **S. 52** oben: Shutterstock, Anton Gvozdikov; unten: Shutterstock, wavebreakmedia – **S. 53** A: Fotolia, Petra Beerhalter; B: Fotolia, Luftbildfotograf; C: Fotolia, Bjoern Wylezich; D: Shutterstock, joephotostudio; E: Fotolia, Martin_P; links: Fotolia, Fabian Petzold; 2. von links: Fotolia, by-studio; 3. von links: Fotolia, PhotoSG; 3. von rechts: Fotolia, Fabian Petzold; 2. von rechts: Fotolia, Fabian Petzold; rechts: Fotolia, Erwin Wodicka – **S. 55** oben links: Shutterstock, Pavel L Photo and Video; oben Mitte: Fotolia, contrastwerkstatt; oben rechts: Fotolia, Peter Atkins; unten links: Fotolia, pressmaster; unten Mitte: Fotolia, belahoche; unten rechts: ClipDealer, Elena Elisseeva – **S. 57** links: Shutterstock, Eugenio Marongiu; Mitte: Fotolia, Smileus; rechts: Fotolia, S K – **S. 59** Cornelsen Schulverlage, Björn Schumann – **S. 61** Cornelsen Schulverlage, Hugo Herold – **S. 62** oben links: Cornelsen Schulverlage, Hugo Herold;

Bildquellen

oben rechts: Fotolia, Fotoschlick; 2. von oben rechts: Fotolia, VRD; Mitte rechts: Fotolia, Natika; 2. von unten rechts: Fotolia, ILYA AKINSHIN; unten rechts: Fotolia, NorGal – **S. 63** oben links: Fotolia, GVictoria; oben 2. von links: Fotolia, Himmelssturm; oben 2. von rechts: Fotolia, Sebalos; oben rechts: Fotolia, stockphoto-graf; unten links: Fotolia, rdnzl; unten 2. von links: Fotolia, Henry Schmitt; unten 3. von links: Fotolia, qjuuu; unten 3. von rechts: Fotolia, Africa Studio; unten 2. von rechts: Fotolia, belamy; unten rechts: Fotolia, designelements – **S. 64** oben links: Mauritius images / imageBROKER / Georg Stelzner; oben Mitte: Fotolia, flashpics; oben rechts: Fotolia, Kzenon; unten links: Shutterstock, saaton; unten Mitte: Fotolia, Kzenon; unten rechts: Mauritius images / imageBROKER / Fotoatelier Berlin – **S. 65** oben links: Shutterstock, Bauer Alexander; Mitte links: Shutterstock, vvoe; unten links: Fotolia, ikonoklast_hh; rechts: Shutterstock, stocksolutions – **S. 66** 1. Reihe links: Fotolia, Joe Gough; 1. Reihe 2. von links (Pro-Daumen): Shutterstock, Marco Rullkoetter; 1. Reihe 2. von rechts: Fotolia, fredja1; 1. Reihe rechts (Contra-Daumen): Shutterstock, Marco Rullkoetter; 2. Reihe links: Fotolia, kathrinm; 2. Reihe 2. von links: Fotolia, Zerbor; 2. Reihe 2. von rechts: Fotolia, VRD; 2. Reihe rechts: Fotolia, Barbara Pheby; 3. Reihe links: Fotolia, womue; 3. Reihe 2. von links: Fotolia, womue; 3. Reihe 2. von rechts: Fotolia, by-studio; 3. Reihe rechts: Fotolia, Picture-Factory; 4. Reihe: Fotolia, Melanie Braun, 5. Reihe: Cornelsen Schulverlage, Hugo Herold – **S. 67** oben: Fotolia, goodluz; 1: Shutterstock, Nailia Schwarz; 2: Fotolia, A_Lein; 3: Fotolia, Printemps; 4: Fotolia, Jacek Chabraszewski – **S. 69** Cornelsen Schulverlage, Björn Schumann – **S. 72** oben links: Shutterstock, Antonio Gravante; oben rechts: Shutterstock, Chubykin Arkady; unten links: Shutterstock, racorn; unten rechts: Shutterstock, eurobanks – **S. 74** Cornelsen Schulverlage, Hugo Herold – **S. 75** 1: Shutterstock, 360b; 2: Fotolia, M. Schuppich; 3: Fotolia, Tilo Grellmann; 4: Fotolia, DeVIce – **S. 76** Cornelsen Schulverlage, Hugo Herold – **S. 77** oben: Shutterstock, GSPhotography; Mitte: Fotolia, Fotofreundin; unten: Shutterstock, Ditty_about_summer – **S. 79** Cornelsen Schulverlage, Björn Schumann – **S. 81** 1: Shutterstock, Anton Gvozdikov; 3: Shutterstock, Bauer Alexander; 4 links: Shutterstock, eurobanks; 4 rechts: Shutterstock, bikeriderlondon; 5: Cornelsen Schulverlage, Hugo Herold; 6: Shutterstock, photo-oasis; 7: Cornelsen Schulverlage, Hugo Herold; 8: Shutterstock, Pavel L Photo and Video – **S. 82** oben links: Shutterstock, Photographee.eu; oben rechts: Shutterstock, Zerbor; unten links: Shutterstock, Syda Productions; unten rechts: Shutterstock, YanLev – **S. 87** Shutterstock, Thomas M Perkins – **S. 88** Shutterstock, Daniel M Ernst – **S. 90** oben + Mitte: Cornelsen Schulverlage, Hugo Herold; unten: Corbis, suedhang – **S. 91** Shutterstock, PhotographyByMK – **S. 92** Cornelsen Schulverlage, Björn Schumann – **S. 93** Cornelsen Schulverlage, Björn Schumann – **S. 94** oben + unten: Cornelsen Schulverlage, Björn Schumann; A: Shutterstock, lawyerphoto; B: Fotolia, vichie81; C: Fotolia, ChinKS; D: Shutterstock, ppart – **S. 95** Cornelsen Schulverlage, Björn Schumann – **S. 96** Cornelsen Schulverlage, Björn Schumann – **S. 97** Cornelsen Schulverlage, Björn Schumann – **S. 98** Cornelsen Schulverlage, Björn Schumann – **S. 120** Cornelsen Schulverlage, Dr. Volker Binder

Notizen

Notizen

Notizen

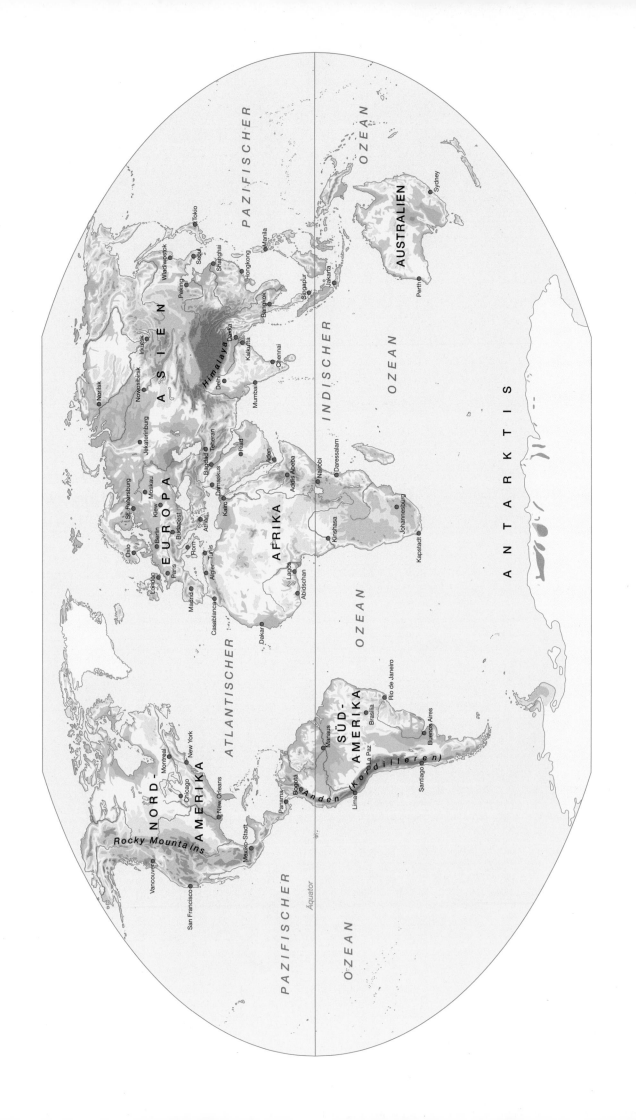